JN076198

最速で幸せな結婚を叶える
マリアージュセラピー

Clover
クローバー出版

はじめに

はじめまして、桐山千絵子です。この本を手に取ってくださったあなたは、幸せな結婚を叶えたいのではないかしら？　そして、のびのびとご自分を発揮して、自分らしく生きたいのではないかしら？

なになに？　自分らしさと幸せな結婚、両方叶えたい!?　そんな欲張りなあなた、大好きです！　女性が幸せに生きるのには両方必要ですものね。

なんですって？　自分らしさと幸せな結婚をせき止める心のブロックを手放したい？　そしてブロックを解放してくれる潜在意識のプロフェッショナルはどこ？と探している？

ひょっとすると、あなたが探しているのは……私かもしれません。お友達に内緒で幸せになる！　潜在意識のヒミツをお伝えします。その前にちょっと自己紹介させてくださいね。

潜在意識で願いを叶えるスピリチュアルセラピストの桐山千絵子と申します。私はこれまで、政界、財界の要人や、角界、歌舞伎界、芸能界のトップの方々を接客してきた豊富な社会経験と、３万件以上のスピリチュアルなセッション経験を絶妙なバランスで融合して潜在意識に働きかけ、クライアントさんたちの幸せな結婚をエレガントに叶えています。

米国にて宝石鑑定士の資格を取得後、宝石業界、美術業界での勤務を経てセラピストに。セラピーは、世界的ベストセラーである『前世療法』、『魂の伴侶』の著者で、同療法の世界的権威であり、米国屈指の精神科医であるブライアン・ワイス博士に米国ＮＹにて直接師事。そのほか、世界的に有名なセラピストたちから各種セラピーを学び、現在に至ります。

私のオフィスには、今まで何年もかけて恋愛について学んだり、スキルを駆使したり、あるいは婚活に何百万円もかけて取り組んだけれど解決しなかった方が、全国各地はもとより、海外の方も数多くセラピーを受けられて、幸せを手にされていらっしゃいます。

クライアントさんたちは、早い方で1回目のセッションの2日後に、ハイクラスな彼と運命的な出会いをされたり、1回のセッションで結婚相手と出会われたりした方もいらっしゃいます。1回目のセッション後、たくさんの方からアプローチされ、生まれて初めての経験に「どうしたらいいでしょう⁉」ととまどうクライアントさんに、「必要でない方は、しっかりとお断りしてください」とお伝えすることも少なくありません。

また、この本を書き始めてから、2回のセッションで彼氏ナシからご成婚された方や、3回のセッションでご成婚された方が現れるなどのミラクルが起こり、この本の出版を天が祝福しているような気持ちになりました。

なぜ彼女たちは「幸せな結婚へと直行する」のでしょうか？　それは、心のブロックをはずし、潜在意識が力を発揮するようにしたからなのです。

私が主宰するマリアージュセラピーは、1年以内に本気で幸せな結婚を叶えたい方のために、特別に開発されたプログラム。催眠療法をベースにさまざまな心理療法を統合したセッションで、ふだんは意識できない「潜在意識」という深い領域にアプローチすると、潜在能力が発揮され、幸せな結婚へと導かれていきます。

*

はじめに「なぜ潜在意識で幸せな結婚が叶うのか？」、そのヒミツについてお伝えします。

潜在意識とは、意識の深い部分のことで、ふだんは意識できません。意識できないので、「無意識」とも呼ばれます。そして、意識できないので、自分ではなかなか変えるのが難しいとも言われています。潜在意識の中には、あなたの本当の力が眠っているんですよ。

この潜在意識に働きかけると、彼からだけでなく運命からも愛されて、自信を持って自分らしくイキイキと生きられたり、人間関係や仕事の面でも能力を発揮できるようになったりして、人生がどんどん豊かになります。

普通のOLさんでも、潜在意識から変わることによって、お金持ちとのご縁がどんどんやってきて、彼ができただけでなく、「まわりが豊かな人ばかりになりました」と言ってくださる方も多いんですよ。

なんだか魔法のような話に聞こえるかもしれませんが、私は、クライアントさんがもともと持っている力を発揮できるよう、ほんの少しお手伝いさせていただいただけなんです。そのヒミツが意識の気づかない部分、「潜在意識」の中にあります。

ここのポイントは「潜在意識とは、意識の気づいていない部分のこと」。これ、おぼえておいてくださいね！

うまくいくのに理由があるように、うまくいかないことにも、ちゃんと理由があります。

理由がわかったら、なんだか納得できるのではないでしょうか？　今まで恋愛がうまくいかなかったり、結婚までたどり着けなかったりしたのは、あなたの努力が足りなかったからではなく、潜在意識で幸せをブロックしていただけなんです。

ただ潜在意識のことをご存知なかっただけ。ブロックがじゃまをしていただけなんです。でも、これからは違います。心のブロックを解き放ち、本当に必要とする愛を引き寄せましょう。何十年もかかって出来上がった恋愛パターンは、時間が経っても解決されるものではありません。

どんなに魂が無限でも、人生は有限だということに早く気づいてください。悩んでいる時間を手放して、今度は楽しみに使いませんか？　もちろん大好きな彼と一緒に！

何ごとも一度には難しいもの。これからこの本で、潜在意識や愛について少しずつ学んで、心のブロックをはずすと、愛を受け取る準備が整います。あなたは1人で年齢を重ねるのと、大切な人とともに愛し愛されて豊かに過ごす人生の、どちらがいいですか？

早くブロックをはずすと、早く幸せが訪れます。ジェット機が飛ぶ時代に、自分1人で頑張るのは、手こぎのボートに乗るようなもの。潜在意識の力を自由に使えるようになると、人生が流れに乗り、幸せへと一直線に進みます。それはまるで、ファーストクラスの直行便で旅をするようなもの。

潜在意識の力を発揮して、あなた自身が愛に値する素晴らしい存在であることに、どうか気づいてください。あなたは1人ではありません。潜在意識は常にあなたとともにあります。今年こそ本気でブロックをはずして、幸せな結婚へと直行便でまいりましょう！　それでは愛の上昇気流に乗り、快適な旅をお楽しみください！

マリアージュセラピー——目次

はじめに …… 3

第1章 なぜ潜在意識で幸せな結婚が叶うの？

幸せな結婚を叶える潜在意識のヒミツ …… 20
愛を遠ざけるメンタルブロックとは？ …… 26
愛はプログラミングされていた …… 31
女性性を癒し、愛と豊かさの優雅な受け取り手になる …… 35
男性性を癒して、幸せな恋愛や結婚へ一直線！ …… 38
幸せを呼ぶ表面意識と潜在意識 …… 42
幸せな恋愛と心のブロックについて …… 44

磁石のようにベストパートナーを引き寄せる潜在意識 …… 49
愛と豊かさを引き寄せる心の中の子供たち …… 52

第2章 なぜいつも恋愛が結婚につながらないの？

幸せな結婚を叶える人の小さな習慣 …… 56
結婚につながらない恋愛ばかり引き寄せてしまう理由とは!? …… 61
婚活を楽しめるようになって、幸せな結婚へ一直線！ …… 65
最愛の彼と結ばれるために大切なこととは!? …… 69
女性性を癒して幸せを手にする …… 73
なかなか良い出会いがない理由とは!? …… 76
「モテるのに、なかなか結婚につながらない！」はなくなる …… 78

思いを伝えられる自分になる……80
彼からたくさんの愛を受け取ることができる女性とは!? ……83
彼を溺愛モードにスイッチON! ……86
コンフォートゾーン――変わらなくていい心地良い場所……89

第3章 ベストパートナーと出会うヒミツのマインドセット

宝石のように輝いて……94
最速で幸せな結婚を叶える方法……97
最愛の彼は恋のアンテナでキャッチする! ……100
彼にあなたを見つけさせてあげて……103
経験があなたを美しくする……106

あなたの笑顔が素敵なわけ …… 109
愛のメッセージを受け取るには？ …… 112
幸せな結婚に年齢は関係ない！ …… 114
ハイクラス男性に愛される女性になる方法　その１ …… 116
ハイクラス男性に愛される女性になる方法　その２ …… 119
一生輝き続ける人になる …… 121
男性だって聞いてほしい！ …… 125
ハイクラス男性を知ろう！ …… 129
ハイクラス男性だって愛されたい …… 132
ヒマでお金がありあまる彼を狙い撃ち！ …… 137

第4章 幸せな結婚を叶えるワーク

伸びやかな自分を発揮する自己催眠……143
あなた自身の本質に触れて願いを叶える方法……154
自分でできる未来作り……159
未来からのメッセージを受け取る……163

第5章 自然体の私で一生愛される

自分にコミット！　が未来を創る……170

報われない愛を癒して外資系企業社長夫人へ！……175
2回のセッションでご入籍！……188
魂の伴侶たち……195

おわりに……200

第1章

なぜ潜在意識で幸せな結婚が叶うの？

幸せな結婚を叶える潜在意識のヒミツ

なぜ私のクライアントさんたちに幸せな結婚が訪れたのでしょうか？　そのヒミツが潜在意識の中にあります。

あなたは今までポジティブに考え、アクティブに行動して、たくさんの素敵な人や出来事を引き寄せ、願いを叶えてこられたのではないでしょうか？
その一方で、「これは叶ったんだけど、こちらはなかなか叶わなくって……」とおっしゃる方がたくさんいらっしゃるのも事実です。いったいなぜ叶わなかったのでしょうか？　ひょっとしてあなたは、

＊恋愛が結婚につながらない
＊婚活がうまくいかない
＊なかなか良い出会いがない
＊最初は良かったのに別れてしまう

というような悩みをお持ちではありませんか？

これらはすべて、ふだんは意識できない、意識の深い部分である「潜在意識」の仕業なのです。では「潜在意識」っていったいなんなのでしょう？　これから潜在意識について深く知り、学ぶことが、今後、あなたの強さとなります。ご一緒に学んでまいりましょう。

私たちがふだん意識できる自分を**「表面意識（顕在意識）」**、意識できない自分を**「潜在意識」**と言います。

表面意識と潜在意識の割合はおよそ「1：9」。ふだん「自分ってこうだ」とわかっている自分が1だとすると、意識できない自分が9あるのです。プラス思考で頑張ってもうまくいかなかったのは、あなたの努力が足りなかったわけではありません。1の力で叶えようとしても、潜在意識の9の力でブロックしていたからなんです。

1人対9人で綱引きしたら、どちらが勝つでしょうか？　答えは明らかですね。つまり、今まで思いが叶わなかったのは「潜在意識」が原因だったのです。

「1：9」

このシンプルな法則を知っておくことで、あなたは幸せへとスムーズにシフトしていきます。私たちの意識の9割を占める潜在意識。この中にある幸せへのブロックを取り除くということは、あなたの人生において、9人味方が増えるということ

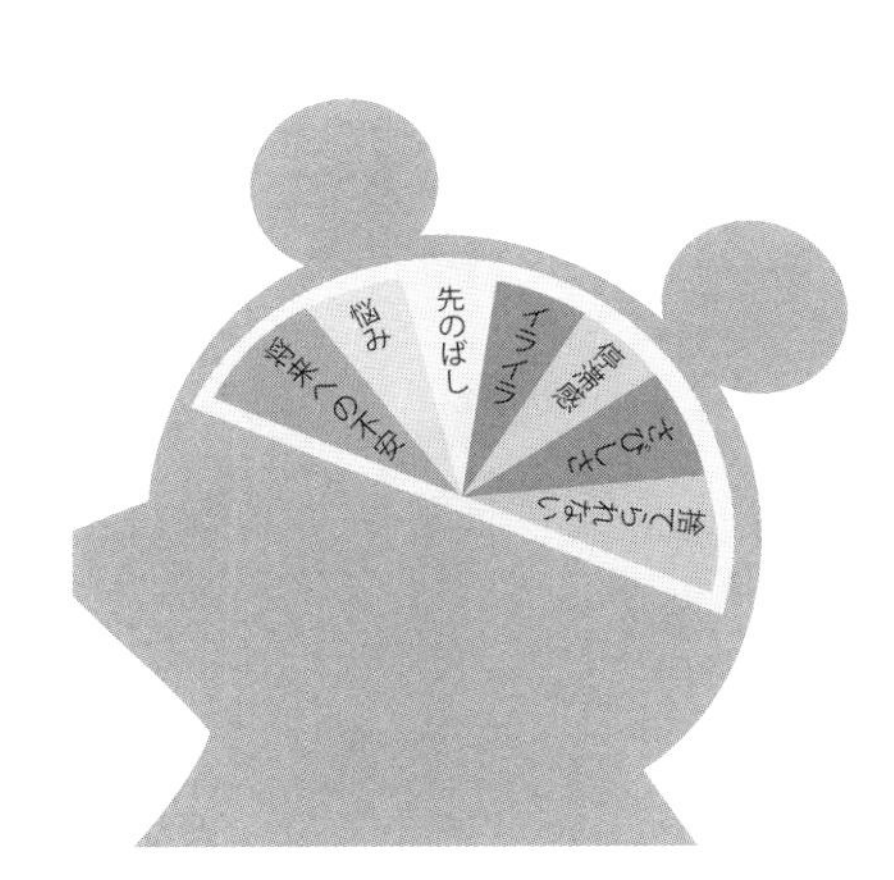

▶ 潜在意識を変える前の状態

です。出口の見えない婚活スパイラルの中で9人の味方を得ると、とても心強いですよね。

そして、ブロックをはずすと、だんだんと本来のあなたに戻っていき、幸せな恋愛や結婚が叶うだけでなく、人間関係、仕事、健康など、さまざまな幸せがあなたの人生に流れ込んできます。潜在意識については聞いたことはあっても、実際には1人ではなかなか変えられない！　とお悩みの方も少なくありません。

でも大丈夫！　潜在意識の中の膨大な

▶ 潜在意識を変えると愛されて豊かになっていきます

データベースから、恋愛や婚活の不調の原因となるネガティブなイメージや感情、感覚、マイナスの信じ込みを、これから1つ1つ解放していきましょう。

潜在意識が変わると、現実が変わりますす。出会う人も変わりますし、起こる出来事も変わります。そう、潜在意識が変わると、人生の土台そのものが変わるのです。

怒りを手放すと、やる気に満ちあふれてきます。恨みを手放すと、本当に興味の湧く人や出来事に出会います。不安や恐れを手放すと、勇気があふれてきます。罪悪感を手放すと、幸運がやってきます。敵意を手放すと、喜びあふれる人生になります。

あれ？　あふれてばっかりですね。そうなのです。あなたがせき止めなければ、人はもともと命であふれているのです。

私のオフィスでは、今まで望む結果が得られなかった方も、潜在意識のブロックをはずして、幸せな結婚を叶えていらっしゃいます。ほんの少しの勇気で人生は変わります。あなたも幸せへと一歩踏み出してみませんか？

愛を遠ざけるメンタルブロックとは?

ここでは、「なんでいつも恋愛がこうなるの?」がなくなる「メンタルブロックのヒミツ」についてお話しさせてください。

「もっと愛されたい」、「もっと幸せになりたい」と思うのは、女性として自然な感情です。しかし、ポジティブな気持ちを持ち、ポジティブに行動しているにもかかわらず、なぜだかいつも恋愛がうまくいかなかったり、結婚に至らなかったり、ということはありませんか? これらはすべてメンタルブロックの仕業だったのです。

▶なんだかうまくいかないときは、心の中がこのようになっています

そして、そのメンタルブロックは、潜在意識にアプローチすることではずすことが可能です。今まで幸せな恋愛や結婚を遠ざけていたのは、メンタルブロックと呼ばれる心のブロックだったのです。

メンタルブロックには2種類あります。まず1つ目は怒りや恐れ、不安や悲しみなどの感情ストレスです。もう1つは、「どうせ私なんて」、「私には無理に決まっている」などのネガティブな信じ込み、マイナスなイメージや感覚です。

これらがあると、恋愛や人生が交通渋滞

▶ 恋愛も人生もこのようにスムーズに流れ出します

のようになってしまいます。なんだかうまくいかないときはこの状態です。メンタルブロックは仕事や人間関係、愛情、お金、健康など、さまざまな幸せを交通渋滞のようにせき止めます。

でも大丈夫です！　これから1つ1つメンタルブロックを片づけていくと、徐々に恋愛や人生がスムーズに流れ出し、幸せな恋愛がやってきます。大きなメンタルブロックが片づいていくと、人生がとてもスムーズになっていきます。いろんな人や出来事とタイミングが合ってきますので、必要なときに必要な場所に至り、必要なときに必要な人と出会ったりすることが多くなります。

つまり、シンクロニシティー（共時性、偶然の一致）が増えてくるのです。シンクロニシティーとは、心理学者カール・グスタフ・ユングが提唱した言葉で、「心の中にあることが、偶然の出来事として実際に起こる」ことです。偶然の一致が起きたときに「シンクロしてる！」という言葉が使われますので、お聞きになられたことがある方も多いかと思います。

心の内面と現実は一致しています。心のブロックをはずしていくと、さまざまなシンクロニシティーが起きてきます。幸せな結婚につながるようなご縁のある人とは、さまざまなことが一致する方が多いです。必要なときに、必要な場所にいたり、必要なときに、必要な人に出会ったりすることが増えてくるのです。

これこそが人生の醍醐味ではないでしょうか。人には不要を遠ざけ、必要を招く力がもともと備わっています。人間自体が、人の形をした磁石のようなものなんです。ご縁のある方は、どんなに離れていても、どうやっても出会います。

偶然？　たまたま？　いいえ、これこそが潜在意識の仕業です。そして、この偶然は作り出せます。

小さな偶然が積み重なり、私たちはこの星に生まれました。そして、さらに小さな偶然が積み重なり、ベストパートナーとの出会いが訪れます。大切なのは、小さなメッセージを見逃さないこと。出会う前にしっかりとブロックをはずして準備しておくこと。それが、必要な出会いを引き寄せるのに欠かせないことです。さあ、あなたもメンタルブロックを片づけて、素敵な恋や人生を楽しんでください！

愛はプログラミングされていた

ここからは、幸せな結婚を叶える潜在意識のヒミツ、「愛はプログラミングされていた」についてお話しさせてください。

潜在意識はあなたがお母様のおなかにいるとき、そう受胎時からプログラミングされていき、12～13歳ぐらいまでに出来上がります。ちょうど、スマートフォンに新しいアプリがどんどんインストールされるのと似ています。この潜在意識のプログラミングには2つのポイントがあります。

ポイント1

12〜13歳以降は、潜在意識のフィルターでしっかりとフタがされますので、大人になってからは潜在意識はあまり変わりません。でも、そのおかげで、大人になるとネガティブな自分を理性で抑えたりできるようになります。

ポイント2

潜在意識のプログラミングは磁石のような働きをし、似たような人や出来事を自動的に引き寄せます。今のあなたのまわりの人や状況は、大人になってからのことだから、小さい頃のことは関係ないと思いませんか?

女性の場合、男性との関係やビジネスの発展には、多くの場合、お父様が、そして女性としての幸せには、多くの場合、お母様が関係しています。中には、生まれる前からのプログラミングが、愛や豊かさに大きく影響している場合も少なくありません。

おいしいワインが出来上がるのに、ブドウがとれた場所や気候、日照量や土の質までもが影響していますよね。例えば、同じブドウの品種でも、アメリカのカリフォルニア州の太陽をいっぱい浴びたブドウで作ったワインは、果実味や甘みがたっぷりの豊かな味わいのワインになるでしょうし、あるいは、日照量の少ないフランスのブルゴーニュ地方で作られたワインだったら、繊細な味わいのエレガントなワインになるでしょう。

ブドウでも、それくらいまわりの環境が影響するのですから、人間だったらなおさらです。

人もまた、ご家族だけでなく、学校や社会など、まわりを取り巻く環境のすべてから影響を受けて、「自分」というプログラミングが出来上がるのです。

「どんな人と出会うのか？」、「どんな出来事と出会うのか？」。恋愛や結婚だけでなく、失恋や浮気、離婚などの愛情問題、仕事や人間関係も、人や出来事と出会う前から潜在意識にプログラミングされています。でも大丈夫！　潜在意識にアクセスすると、このプログラミング自体を変えることができるのです。

この本をお読みのあなたは、きっと幸せになるために生まれてこられたはず。
もっと人生から多くを受け取ることをご自分に許してあげたら、きっとあなたの人生にベストパートナーが訪れることでしょう。

女性性を癒し、愛と豊かさの優雅な受け取り手になる

あなたは必要な愛や豊かさを十分に受け取っていますか？　もし、もっと愛や豊かさを優雅に受け取りたいとお考えでしたら、きっとこの話が役に立つことと思います。お話しさせてくださいね。優雅な受け取り手になるヒミツ。

潜在意識の中には「男性性」と「女性性」の2つがあります。そして、それらは両方とも、男性の中にも女性の中にもあるんですよ。男性性は、拡大して発展していくエネルギー。そして女性性は、受け取ったり育んだりするエネルギーです。

女性だから女性性だけが大事なのではなく、両方が相互に関係しています。女性

としての幸せや、女性との関係性は、おもにお母様とのことが関係しています。そして、女性としての在り方には、多くの場合、お母様の在り方が関係しているんですよ。

あなたの小さい頃の思い出の中のお母様はどんな方ですか？　そして小さい頃、お母様とはどんな関係だったでしょうか？　たっぷりと甘えさせてもらい、十分な愛を受け取っていましたか？　実際にどうだったかというよりも、ご自分の中でどう捉えていらっしゃるかが、大人になってからのあなたの恋愛や結婚と関係しています。

いつも与えてばかりで「私はいいわ」と言っていませんか？　お母様との関係性が癒されていないと、このように無意識に愛を遠ざけてしまいます。そして、お母様との関係性が癒されると、愛や豊かさだけではなく、人の親切も喜びを持って受け取れるようになるだけでなく、良い機会もめぐってきます。

この宇宙は美しく豊かです。

自分さえはね除けなければ、いくらでも手にできるのです。今年こそ女性性を癒し、両手を広げて愛と豊かさを受け取りませんか？

男性性を癒して、幸せな恋愛や結婚へ一直線！

あなたは望む愛を得るために、思いっきり行動できていますか？　思っているだけで、全然動けない！　ということはありませんか？　そして、好きな人に出会ったとき、自分自身を思いっきり表現できていますか？　彼に自分の想いを伝えられていますか？

もし、人生を思いっきりアクティブに動くことができていらっしゃらないとしたら、きっとこの話が役に立つことと思います。お話しさせてくださいね。幸せな恋愛や結婚へ一直線に進むヒミツ。

以前にもお話しした通り、男性の中にも女性の中にも男性性と女性性があり、女性の場合、男性性はおもにお父様と関係しています。
男性性が癒されていないと、男性との関係がうまくいかなかったり、自分より年齢や立場が上の人との関係がうまくいかなかったりします。

恋愛でいつも似たような男性を引き寄せていませんか？　その場合は、お父様と関連する男性性を癒していく必要があります。ご兄弟がいらっしゃる方は、ご兄弟との関係性も、男性との関係に影響します。ご兄弟との関係性は、男性との関係性の質を決めますので、ご兄弟との関係性が癒されると、出会う男性の質が格段に上がります。

仕事ができる男性や、収入が多い男性に惹かれる女性は少なくありません。もし、あなたがその1人だったら、お父様に関連する男性性をしっかりと癒すと、仕事ができる男性や、収入が多い男性とのご縁がやってきます。あるいは、自分自身の潜在意識が変わることで、全然仕事ができない彼が、バリバリ働くハイクラス男性に変貌した方もいらっしゃいます。

何かにつけて大バトルを繰り返していたお父様との関係性を癒して、大金持ちの方とのご縁談がお決まりになった方もいらっしゃいます。それくらい男性性の癒しはパワフルです。

男性性が癒されると、男性との関係が良くなるだけでなく、この世界で、ご自身の能力を遺憾なく発揮できるようになり、恋愛も仕事も拡大して発展していきます。男性性は、仕事にのみ関係しているのではないのですね。

職場の上司とうまくいかない方はいませんか？　あるいは、会社や社会そのものと良好な関係にないという方はいませんか？　その方は男性性を癒す必要がありす。愛においても、豊かさにおいても、自分を発揮し表現できるって、こんなに気持ちのいいことはありません。

あなたがもし、なかなか良い出会いがない、と落ち込んでいらっしゃるのでしたら、まだできることはたくさんありますので、どうかあきらめないでください。あきらめる前に、男性性を癒せばいいだけなのです。あなたも男性性を癒して、幸せな恋愛や結婚へ一直線に飛び立っていきませんか？

幸せを呼ぶ表面意識と潜在意識

ここでは、幸せを呼ぶ表面意識と潜在意識についてお話しさせてくださいね。人間の表面意識と潜在意識の割合はおよそ「1：9」です。「表面意識」とは、ふだん「自分ってこうだ」と意識できる自分のこと。そして「潜在意識」とは、「自分ってこうだ」と意識できない自分のことです。意識できる自分が1だとすると、意識できない自分が9あります。

今まで婚活で、「なんでいつもこうなっちゃうんだろう？」と思ったことはありませんか？　また、「なぜだかわからないけど、いつもこうなっちゃう」ということはありませんか？　この**「なぜだかわからない」のは、潜在意識の仕業なのです。**

▶ 表面意識と潜在意識の割合は約1:9です

そして、いくらポジティブに考えようとしても、なかなかうまくいかないときってありませんか？　それは、潜在意識の中のプログラムが関係しています。でも大丈夫！　この潜在意識に直接アプローチすると、あなたの想いは優しく叶います。

潜在意識の中には、あなたが幸せになるための豊かな資源がたくさん眠っています。この素晴らしい資源を活用して、ぜひ幸せな結婚を叶えてくださいね。

幸せな恋愛と心のブロックについて

ここでは、幸せな恋愛と心のブロックについてお話しさせてくださいね。

あなたが望んでいるのは、一方的に思うだけの恋愛ですか？　それとも、お互いに愛し愛される幸せな恋愛ですか？

実は、幸せな恋愛には理由があります。

恋愛で、「彼となかなかわかり合えない」、「好きではない人からばかり言い寄られる」、「愛されているか不安……」、「コミュニケーションがうまくいかない」な

▶ 恋愛がうまくいかないときは潜在意識がこうなっています

ど、恋愛がスムーズにいかなかったり、婚活で良い出会いがあっても、結婚までなかなかたどり着けなかったりするときってありませんか？　それは、幸せな恋愛とは言えませんよね？　実は、それはあなたの潜在意識に原因があったから。潜在意識の中に幸せな恋愛へのブロックがあったからなんです。

潜在意識のブロックには2種類あります。１つは**ネガティブな信じ込み**。そして、もう1つは**感情ストレス**です。

ネガティブな信じ込みとは、「私なんて」

▶ あるいは、潜在意識がエネルギー不足でガス欠を起こしているのかも？

という自分を否定する考えだったり、「男性なんてこんなもの」といった、人を否定する考えです。そして、もう1つは、親密な関係に対する不安や恐れ、寂しさ、怒りや悲しみなどのネガティブな感情です。

潜在意識の中にこの2つがあると、それがブロックとなり、幸せな恋愛や結婚を遠ざけてしまいます。

例えば、どんなに「彼に愛されたい」と願っていても、意識の深い部分である潜在意識の中に「寂しい」という気持ちがあると、寂しい結果を引き寄せてしまいます。

▶ セラピーでブロックをはずすと婚活はこんなにスムーズになります

あるいは、プライドがじゃまをして、本当の自分を出せずにいると、好きな人とはいつまで経っても親密にはなれませんよね。

でも大丈夫！　幸せな恋愛は、さえぎるものがないので、とてもスムーズです。潜在意識のネガティブな信じ込みや、恋愛に対する不安を取り除くと、結婚までの道のりがとてもスムーズになります。

もし彼があなたのことを「わかってくれない」と思ったら、あなたが一番あなたのことをわかる必要があります。まずはあなたがご自分の内面と向き合って、あなた自身の良き理解者になられてはいかがでしょうか？

潜在意識のブロックを解放すると、あなたの人生に愛や喜びが入ってきます。

人生に新しい人や出来事を招き入れたい場合は、古い自分にさよならをする必要があります。

磁石のようにベストパートナーを引き寄せる潜在意識

ここでは、なぜ潜在意識は、磁石のようにベストパートナーを引き寄せるのか、についてお話しさせてくださいね。


潜在意識とは、私たちの意識のおよそ9割を占める、見えない部分のことです。

この潜在意識には**「似たようなものを引き寄せ、似ていないものは、はね返す」**という性質があります。

もし、潜在意識の中に「愛されない」という感覚があると、どんなに表面の1割の部分で「愛されたい」と願っても、「愛してくれない人」を引き寄せてしまいます。

▶ なぜ潜在意識は、磁石のようにベストパートナーを引き寄せるのか!?

そして、潜在意識の中に「不安」があると、実際に「不安になる」ような人や出来事を引き寄せ、幸せをブロックするのです。

ひょっとして、あなたのまわりにイライラしている人はいませんか？ もしいたとしたら、それはあなたの潜在意識の中にある「イライラ」が「イライラするような人」を引き寄せてしまっているのです。

そして、あなたの潜在意識からイライラを取り除くと、イライラするような出来事が起こらなくなったり、イライラする人があなたから離れていったりします。潜在意識は硬いフィルターで守られていますので、「似ていない」と判断したものは、受け入れないようにできています。なので、潜在意識の中に「不安」があると、「安心」できる人や状況をはね返してしまうのです。

でも大丈夫！　あなたはこの「イライラ」や「不安」を取り除き、「安心」や「満足」に変えていくことができます。そうすると今度は、「安心できて、満足できる」人や状況を引き寄せることができるのです。

幸せな恋愛や結婚には、「安心」や「満足」があります。あなたも潜在意識をクリアにし、磁石のようにベストパートナーを引き寄せませんか？

愛と豊かさを引き寄せる心の中の子供たち

婚活でせっかく良い出会いがあっても、お付き合いがスムーズにいかなかったり、なかなか結婚につながらなかったりすることってありませんか？　そんなとき、あなたの心の中では、小さな子供が泣いているかもしれません。

潜在意識は意識全体の9割を占めますので、大変強力です。愛と豊かさは12〜13歳ぐらいまでにあなたの潜在意識に刻みつけられ、その後、あなたの人生をサーチライトのように照らします。

ほしい愛情が手に入らない。ほしい豊かさが手に入らない。ふだんは大人の自分が強がっていても、恋愛においては、好きな人に言いたいことがまったく言えなくなってしまったり、仕事では自信を持って振る舞うことができるのに、恋愛になると弱気になったり、急に自分じゃなくなってしまったり……そんなことはありませんか？

そんなとき、あなたの心の中では、小さな小さな子供が、エーンエーンと泣いているのかもしれません。あるいは、泣くこともできず、独りうずくまっているのかもしれません。

それを表面意識の自分が「もっと頑張れ！」とか、「もっと前向きに！」としかりつけても、そもそも子供なので、言われていることがよくわからなかったり、聞くこと自体が難しかったりします。この心の中の小さな子供は「インナーチャイルド」と呼ばれます。

愛と豊かさを引き寄せるには、まず心の中の小さな子供を癒すこと。なぜかと言うと、このインナーチャイルドが抱えている不足感は、大人になってから、「愛が足りない」状況や、「お金が足りない」状況、「人間関係がうまくいかない」状況を引き寄せてしまうからです。

潜在意識の中で、インナーチャイルドを安心して満足できる状態にしてあげること。それが願いを叶える秘訣です。そして、あなたのインナーチャイルドを助けてあげられるのは、大人のあなたしかいません。インナーチャイルドは、あなたが来てくれるのをずっと待っていますよ。

あなたが心の中の小さな子供を癒せば癒すほど、あなたは彼からだけでなく、運命からも愛されて豊かになり、婚活においても、仕事においても、のびのびと力を発揮できるようになります。

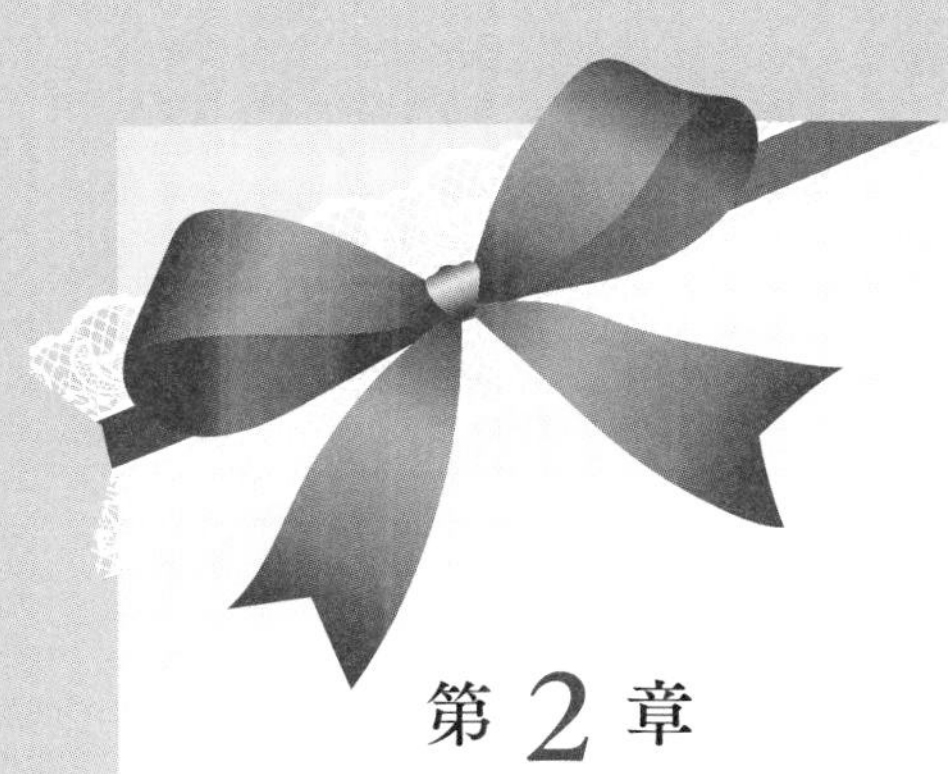

第2章

なぜいつも恋愛が結婚につながらないの？

幸せな結婚を叶える人の小さな習慣

幸せな結婚をしたいと思って婚活に励んでいるけれど、なかなか結果が出ないときってありますよね。そんなとき、潜在意識の中はどうなっているのでしょうか？

実は、彼からも運命からも愛される人にはヒミツがあります。ここでは、愛される人が心がけている小さな習慣についてお話しさせてくださいね。

クライアントのUさん（30代、会社員）はとってもチャーミングな女性です。今まで恋愛や婚活のスキルを身につけたり、コーチングやカウンセリングを受けたり、複数の結婚相談所にも登録したりして、何年も婚活に頑張ってきたけれど、なかなか結果が出ないことにあせりを感じ、セラピーに通われるようになりました。

希望の男性について「どんな方がいいのですか？」とお聞きすると、「自分より仕事ができない人はイヤ」、「ぼんくらだったり」、「自分より給料が安かったり」、「肉体労働だったり」と、彼女からいろいろ出てきました。

私は「なぜ、そういう男性をわざわざピックアップするのですか？」とお聞きしました。なぜなら、彼女は大手企業に勤務されていますし、自分の行動範囲に仕事ができない人も、肉体労働の人もいらっしゃらないからです。それって不思議ではありませんか？

実は、潜在意識は**「否定形を受け入れません！」**。だから、理想のパートナーについて「こんな人がイヤで」、「あんな人がイヤで」と言うと、「こんな人」と「あんな人」がビシッと飛んできます！　それって怖くないですか⁉

彼女は何年ものあいだ、婚活に頑張ってきたのに、潜在意識レベルではご自分が幸せな結婚を遠ざけていたことを知り、ガクゼンとした様子でした。「こんな人がイヤ」と言っている時点で、「こんな人」に強力にフォーカスしてしまっていたのです。そして、それが叶ってしまっていたのですね。これが**潜在意識の仕業**なんです。

婚活がなかなかうまくいかない人は、うまくいかないように否定形で考えていますので、言葉も否定的です。ですから、**否定していることがしっかりと実現してしまう**のですね。

「じゃあ、どうすればいいの?」。はい、よくぞ聞いてくれました。それは**「肯定形を使って宇宙に彼をオーダーする」**のです。自分が本当に望むポジティブなほうに意識をしっかりと向け、ポジティブな言葉を使うように心がけましょう。

そして、彼女に「望む条件がそろった人が現れたら、どんな気持ちですか？」とお聞きしたら、「安心です」というキーワードが出てきました。ということは、潜在意識は似た状態を引き寄せ、似ていないものをはね除けますので**「自分が安心できる状態になったら、安心できる人と出会う」**ということなのです。彼女が希望のパートナーと出会うために一番先にやる大切なことは、自分自身を安心できる状態に整えて準備しておくことなのですね。

彼にも運命にも愛される人は、ポジティブな言葉を使います。そして、否定的な言葉遣いをしません。ネガティブな言葉やきたない言葉も口にしません。これを言うと、口がきけなくなる方もいらっしゃるんですよ。

小さいことのようですが、**ポジティブな言葉を使うこと、優しく丁寧に話すこと、ネガティブな言葉や、きたない言葉を口にしないことを**、毎日続けて習慣化してください。新しい習慣を身につけるには、少なくとも21日間は続けることが大切です。そうすると、現実もポジティブな方向にシフトしていきますよ。

愛されるためには、ちょっとしたお心がけが大切です。言霊を変えて、もっともっと幸せを手にしましょうね。

結婚につながらない恋愛ばかり引き寄せてしまう理由とは⁉

クライアントのAさん（40代、会社員）は、今まで彼がいたのに、なかなか結婚につながらなかったという悩みがおありでした。なぜ、せっかくお互いに愛し合える人に出会っているのに、結婚にはつながらなかったのでしょうか？　そのヒミツが、彼女の意識の深い部分である潜在意識の中にありました。

彼女は幸せな結婚を叶えたいと思っていましたが、意識の約9割を占める潜在意識のレベルでは「人と深く関わるのが怖い」という恐れがあることがわかりました。そして、Aさんの彼にも「（結婚しないで）今のほうが楽だな」という気持ちが出てきたそうです。

心の中に「人と深く関わることへの恐れ」があると、結婚しなくてもいい人をちゃんと引き寄せます。それを聞いた彼女は「今まで（願いが）叶っていないと思っていました」と、潜在意識レベルでは願いが叶っていたことに驚かれた様子でした。

うまくいくのに理由があるように、うまくいかないのにも理由があります。

そして、潜在意識を変えることにより、スムーズに結婚につながる恋愛を引き寄せることができるようになるのです。

人は潜在意識の向いているほうに行動します。つまり、恋愛にブロックはないけれど、結婚にブロックがある人は、潜在意識の中に結婚がありませんから、「結婚を考えてくれない人を見つけ」、「恋に落ち」、最後には「結婚にはいたらなかった……」という3つのステップを踏みがちです。

幸せな結婚を叶えるためには、もう一度**「なぜ結婚する必要があるのか？」**を考えてみられてはいかがでしょうか？　本当は心の奥底では「（結婚して）家事をするのはめんどくさい」とか、「結婚したら自由がなくなる」とか、結婚をはね除けている理由がザクザク出てきますよ。

もし、あなたが気づいている部分である**表面意識**では「結婚した～い！」と言っていても、意識の9割を占める**潜在意識**の部分で、「結婚したら自分に不都合なことが起こるのでは？」というネガティブな気持ちがあって、両者が綱引きをしていたらどちらが勝ちますか？　婚活を始める前に、その矛盾に気づく必要がありそうですね。

そして、結婚生活にご自分が何を望んでいるか、リストアップされてみてはいかがでしょうか？　その上で、作り上げたいつわりの自分ではなく、「家事なんてめんどくさい！」と素直に言えるような自分になることや、パートナー選びの際、自分自身が素直になれる人を優先順位の上位に入れておくことが、幸せな結婚への一番の近道になります。そのために潜在意識をクリアにして、本来の自分に戻っておくことには意味があるんですよ。

婚活を楽しめるようになって、幸せな結婚へ一直線！

あなたは今、婚活を楽しめていますか？　ひょっとして、婚活に疲れていたり、なかなか行動できないことってありませんか？　クライアントさんの中にも、「結婚したい」というポジティブな思いはあるけれど、なかなか行動につながらない方や、大量行動しているのに、結果が出なかった方が多数いらっしゃいます。実は、婚活を楽しめなくさせているのには理由があります。それは、婚活以前に**「人生そのものを楽しめていないこと」**ではないでしょうか？

私のクライアントさんたちは、素敵な出会いを引き寄せる前に、まず日常生活や仕事を含めて、人生そのものが楽しめるようになっていかれます。**まわりとの人間**

関係がスムーズになったり、協力者が現れたり、仕事でもプライベートでもまわりから愛されて可愛がられたり、ということが起きてきます。

自分自身がまわりの方と調和するようになられて、それがひいては良い出会いを引き寄せるようになるのですね。彼女たちは、恋愛以前に仕事もプライベートも、とっても楽しんでいらっしゃいます。最初はそうじゃなくても、セラピーでだんだんとそうなっていかれるのです。楽しい出会いというのは、自分が楽しい波動を出した結果、得られるものなんですね。

以下は、セラピーで過去の恋愛の傷など、幸せな恋愛や結婚へのブロックを解放したクライアントさんからいただいたご報告です。彼女は婚活で1週間で3人ものエリート男性から熱烈にアプローチされるようになっただけでなく、仕事も人間関係もご発展の機運にいらっしゃいます。

「（お客様が）私が手がけた仕事を見て『良い雰囲気なのが伝わってきますね！お友達にも見せたら、センスいいわと言ってましたよ。今度利用してみたいと思います』と言ってくださったのが、とても嬉しかったです。一歩踏み出してみれば、一気に距離が近くなれるんだなと実感しました。あとは、自分が純粋な気持ちなので、相手もそれに応えてくれているという感じがしました」

婚活がうまくいかない人は、ふだんの人間関係が希薄な傾向があります。だから、婚活アプリの相手に固執し、その言動に一喜一憂するのです。まずは日常を楽しみませんか？　そして何か、恋愛以外のことにも興味の対象を広げてみませんか？

人生のすべてが婚活の舞台です。

日常こそが、幸せな結婚につながっていますよ。

小学校の頃、学校から帰るときに回り道や道草をして楽しかった経験はありませんか？　婚活もそうですよね。回り道や道草をして、結婚までの道のりをもっともっと楽しむことができるようになると、その楽しい波動が、ウキウキと楽しくなるような出会いを引き寄せますよ。

最愛の彼と結ばれるために大切なこととは⁉

最愛の彼と出会い、結ばれたい。女性なら、そんな気持ちが心のどこかにあることでしょう。最愛の彼と結ばれる人は、過去の何ものからも自由です。でも、出会いはあるけれど、言い寄ってくるのは、意に沿わない人ばかり……そんなことはありませんか⁉

クライアントのSさん（40代、自営業）は、とても知的で魅力的な女性。いつもたくさんの男性から、ひっきりなしにアプローチされます。でも、まだ本気で将来のことを考えられる方は現れていません。

まわりにたくさんの男性がいらっしゃる方には、**「男捨離」**、つまり本当に必要な男性以外の方との関係性を断捨離していただくことがあります。中途半端な方がまわりにいると、誰が好きかわからなくなり、本当に真剣になれる方との出会いを遠ざけてしまうからです。

以下は、彼女からいただいたご報告です。

「以前から私の中途半端な行動が引き寄せてしまった男性の方々と、かなりスッキリできた旨ご報告させていただいた件なのですが、お1人だけ何を言っても、何回お断りしても、まったく効き目がない方がいます。私は過去をちゃんと清算したつもりでいるのですが、この方だけなんとも思っていないお返事のメッセージが来て、一向に変わりません。

メッセージもやめてほしい旨をお伝えしているのですが、『まあ、そう言わずに』で終わりで、どうにかしたいと思っています。こういうことは、どう受け止めたらいいのでしょうか。まだまだ私の覚悟がキッパリ決まっていないってことなのかな、と考えています」

私は彼女に、ためらわずにしっかりとお断りするようお伝えしました。ちゃんと片づけないと、次が入って来ないからです。そうすると、彼女からお返事が来ました。

「ありがとうございます、千絵子さん。ためらわず、しっかりとお断りしました。手放してみると、ちょっと寂しい気持ちが残りました。片づかないようにしていたのは、自分かもしれません。やっとスタートラインに立てた気持ちです」

潜在意識の中に寂しさがあると、寂しさを満たしてくれるようなお手軽な人を引き寄せてしまいます。優しくてリッチな方に押されて結婚するのは、こういう方が多いですね。そういう方が20年後、お子様が成人されて、ご主人と2人で向き合わないといけない状況になったときに、不倫などの問題が浮上し、セラピーに来られるケースもありました。

本気で最愛の彼と結ばれたいなら、まずは寂しさを癒すこと。そして、すべての出来事は、自分自身が引き寄せていることに気づくこと。出会う前に自分自身をクリアにしておくことが肝心です。

過去を断ち切り、未来を受け入れる。

最愛の人を引き寄せ、本気で幸せな結婚を叶える気持ちがあるのでしたら、それくらい準備してもいいのではないでしょうか?

女性性を癒して幸せを手にする

クライアントのOさん（40代、講師）には、「**好きではない人ばかりから誘われてしまう**」という悩みがおありでした。その中には結婚している人もいらっしゃったそうです。そこで私が彼女に「それって、何もないよりはいいと思っていらっしゃらないですか？」とお聞きしたら、「はい、何もないよりはいいと思います」と彼女はおっしゃいました。

「**何もないよりも、誰からも誘われないよりも、好きな人じゃなくても、誰かに誘われるほうがいい**」と思っている女性は少なくありません。彼女たちには「何もないのは寂しいから」という言い分もあります。確かに誘われるのは悪い気がしないでしょうし、何もないより女性としてのプライドがギリギリ保てますよね、きっと。そして、何もないより何かが満たされます。でも、それをずっとやっていると、本当に好きな人がいる方向に進む時間やエネルギーが減っていきますよ。

こういう方は、**「本当に好きになれる人が現れたら、傷ついてしまうかもしれない」**という思いが潜在意識の中にあります。過去にずっと愛に傷ついてきた人は、その経験が、あたりさわりのない人を引き寄せてしまうのです。そのほうが傷つかなくて済むからです。だから本当に好きになれる人を無意識に遠ざけてしまうのです。彼女の場合は**「ありのままで愛される」**という無条件の愛で満たされるよう調整し、傷ついた女性性を癒しておきました。

その後、彼女から「人といる時間が増えて、時間を割いてでも会いたいと思える人から誘ってもらえるようになりました」とのご連絡をいただきました。時間を割いてでも会いたいと思える人と会えるって、女性として本当に幸せですね。

高すぎるプライドは、傷ついた心が作り上げた心の壁です。そういう方は**「ありのままで愛される」**という言葉を日々唱え、無条件の愛で自分自身を満たしてあげてください。そうすることで、心の垣根はほどよい高さとなり、本当の愛を迎え入れる準備が整います。

なかなか良い出会いがない理由とは!?

「良い出会いがない」「自分が『スキ!』と思える人になかなか出会えない」というご相談をいただくことがあります。私のオフィスには、次から次へと好きな人が現れる恋愛体質の方と、なかなか恋愛に踏み出せない方の両方がいらっしゃいます。両者の何が違うのでしょうか?

まず、「スキ!」と思える人に出会えない方は、潜在意識レベルでは、出会わないように自分で仕向けていることに気づいていただく必要があります。つまり、本当に好きな人に出会ってしまうと、潜在意識レベルでは「非常に不都合なことが起こるのでは?」という思いが、良い出会いを遠ざけているのです。

それは、「自分は愛されないかもしれない」といったネガティブな信じ込みや自信のなさがブロックとなり、行動できなくさせているのです。まずは、それはただの**信じ込みである**ということに気づくこと。そうすることで、信じ込みのブロックがゆるんでいきます。そして、もうあなたにピッタリのパートナーと出会ってもいい、という許可を自分自身に出してあげてくださいね。きっと素敵な出会いがあなたを待っていますよ。

「モテるのに、なかなか結婚につながらない！」はなくなる

出会いもそこそこあるし、週末はデートのやりくりに忙しい。ハッキリ言って私って、まあまあモテる。でも、なかなか結婚につながらない！　という悩みはありませんか？　私のオフィスには、そんな悩みをお持ちの方の来訪が少なくありません。

美しいバラの花に、蝶やミツバチがやってくるように、素敵な女性には、素敵な恋がめぐってきてしかるべき。そうではありませんか⁉

花はじっとしていますが、甘く良い香りで蝶やミツバチを誘います。人もまた、じっとしていても、なんらかのエネルギーを発して、人や出来事を引き寄せているのです。

もし、あなたが「結婚につながらない人ばかり引き寄せてしまう」のでしたら、あなたの潜在意識の中に「長期的な信頼関係」がないのかもしれません。

お母様が小さいお子様を育むように、人との関係性もじっくりと育んでいく。幸せな結婚を叶えるには、人と「長期的な信頼関係を育む」ことを意識してください。

先日来られたクライアントさんに、この「長期的な信頼関係を育む」ことを意識していただいたら、「どっちつかずの関係だった男性からは、仕事のあとにお送りするお礼のメールにさえ、返事が来なくなりました」とのことでした。どっちつかずな人が片づいて初めて、必要な人が人生に入ってきます。

寂しさを埋めるために一緒にいるのではなく、「一緒にいたい人だから一緒にいる」ということを意識すると、あなたにとって本当に必要なパートナーがやってきますよ。

思いを伝えられる自分になる

恋愛や婚活で自分の言いたいことを言えないときってありませんか？　仕事のときやお友達といるときは気軽にお話しできるのに、彼にはついつい言いたいことをガマンしてしまう……。そんなご相談が最近多いのです。

ハートで感じたことを言葉にするのがうまくできない……。それは、そもそもハートと喉のエネルギーセンターがつながっていないことが原因です。

そういう方は、口に出すのが上手な人を真似てみるところから始めてみましょう。言葉で表現することに自信のなさを感じている方でも大丈夫。まわりの方の良い部分からどんなに学んでも罪にはなりません。

「ああ、あんな言い方があるんだ」とか、自分が言いたいことを言っている場面を想像して、シミュレーションしてみてもいいですね。

そうやって日々学びを深めていったら、「私にはできないから」とあきらめたり落ち込んだりするヒマはないはずです。一番問題なのは、できるかできないかではなく、やるべきことをやっていないことですよ。

最初はみんなできません。見よう見まねって言葉があるでしょう。良くできる人のやり方や考え方から学ぶクセをつけましょう。絶対に今と違うやり方や考え方がありますから。それと、本当の気持ちにフタをしないこと。ほしいのに、いらないって言ったりしていませんか？　自分にウソをつくのは、人にウソをつくよりやっかいですよ。

以下は、婚活中に、お相手とのコミュニケーションに悩んでいたクライアントさん（30代、ＯＬ）からいただいたメッセージです。

「知らず知らずのうちに、自分の本当の気持ちにフタをして、中に閉じ込めてしまっていたことに改めて気づきました。千絵子さんのオフィスに伺うのがいつも楽しみです！　千絵子さんとお話ししていると、自分を覆っている皮みたいなものが、1枚1枚剥がれていくような感覚があります。未来の旦那様にもですが、本当の自分に会いたいという気持ちが強くなりました。**変化に恐れを抱かず、ワクワクしながらプロセスを楽しんでいけたら**と思います！」

そうですね。大切なのは、**変化を恐れないこと**。そして、**プロセスを楽しむこと**。

この2つを忘れなければ、あなたの婚活も必ず幸せな未来へとつながっていきますよ。

彼からたくさんの愛を受け取ることができる女性とは⁉

さて、あなたの婚活は今どんな感じになっていますか？　良い出会いはありましたか？　それとも、いつも同じような結果を引き寄せてはいませんか？

「相手や状況が変わったのに、結果が同じ」ということは、あなたの潜在意識に原因があるということです。ちょうど自分自身が、人の形をした磁石だと思ってください。あなた自身が良いエネルギーを発すると、それにともなって良いご縁がやってきます。

逆に、あなた自身がネガティブなエネルギーを発すると、望まない人や状況がやってきます。そもそも、潜在意識の中には**「良い悪いの区別がありません」**。だから、自分が発したエネルギーと似たものがやってくるだけで、望まない人や状況がやってくること自体に、良い悪いはないのです。相手や状況はただ、あなたが発するエネルギーに引かれてきただけなんですよ。

だから、自分自身が意識を高めたり、良いエネルギーを発することはとても大切。私のクライアントさんたちは、出会う前にしっかりと心のブロックをはずして、ネガティブなエネルギーを取り除いているので、素敵な人と出会い、素敵な結果になっています。

以下は、彼ができたクライアントさん（30代、ＯＬ）からいただいたメッセージです。

「（彼と）会っているときは、あらゆることについて話すので、見聞が広がっている気がします。私のインスピレーションなどにも、『そこまで考えたことなかったよ！　それ、いいねえ！』と言われたり、いい影響を与え合っているようです」

人は、何もしないでただじっとしていても、なんらかのエネルギーを発しており、それが、まわりの人にさまざまな影響を与えています。そもそもなんのために、恋愛や婚活でパートナーを探すのでしょうか？　お互いに良い影響を与え合い、もっと幸せを感じたいためなのではないでしょうか？　そのためには、どんなに内面や外見を磨いても、磨きすぎるということはありません。

あなたがまわりに与えた影響が、時間を経て自分自身に返ってくるとお考えください。彼からたくさんの良い影響を受け取りたかったら、あなた自身も彼に良い影響を与えられるようになりましょう！　その前向きな気持ちが、良い結果を引き寄せますよ。

彼を溺愛モードにスイッチON！

実は、あなた自身が自然体になっていくと、彼と一緒にいてどんどんくつろげるようになってきます。そうすると、その良い波動が彼にも伝わり、恋愛がどんどん充実して、幸せな結婚へとスムーズにつながるのです。だから、ふだんからリラックスして自然体な自分でいることは、婚活がスムーズに進んでいくためにとても大切。

恋愛がうまくいかない方は、幸せは「彼次第」と思っていたり、うまくいかない状態のことを「ピッタリの人なんているわけがないんだから、これくらいはガマンして当たり前」と思って、これからもずっとガマンし続けるほうを選びがち。そして、幸せは彼次第と思っていると、せっかく出会いがあっても頑張らないといけない恋愛になったり、あるいは、頑張ってもうまくいかない恋愛になります。

でも、幸せな結婚を叶える人は**「幸せは自分次第」**と、まったく正反対の意識を持っています。幸せが自分次第であることに気づくと、磁石のように自分に良いエネルギーが集まってきます。もちろん愛や豊かさのエネルギーも。

以下にご紹介するクライアントさん（40代）は、出会いには恵まれているものの、頑張ってもいつも恋愛はうまくいかなかったのですが、潜在意識の中にあった傷ついた女性性を癒したところ、愛の受け取り上手になられ、すっかり彼を魅了する小悪魔になってしまわれました。最初は彼が主導していたのですが、今ではすっかり立場が逆転！「こんな面白い子はほかにいない！手放してはいけない！」と、完全に彼のほうが**溺愛モードにスイッチＯＮ！**になってしまいました。さすがは私のクライアントさんですね。

幸せのタネは潜在意識の中にあります。私はそのタネが芽を出すように、ほんの少し促しただけなんです。誰の中にも自分を幸せにする力が存在しています。幸せは自分次第であることに気づき、自らの力を使うことを自分自身に許したら、人生はまた違ったものになるでしょう。

コンフォートゾーン――変わらなくていい心地良い場所

さて、あなたは「幸せな結婚がしたい！」と思っているのに、「なかなか婚活がうまくいかない！」「恋愛が結婚につながらない！」なんてことありませんか？

そんなとき、ひょっとするとあなたは、「コンフォートゾーン」という場所にいらっしゃるのかもしれません。

コンフォートゾーンとは英語で「心地良い場所」を意味します。そこにいると非常に快適で心地良く、何より「安全」を感じられます。

例えば、恋愛はなかなか結婚につながらないけれど、実家住まいで自立しなくて済んだり、愛を遠ざけることで傷つかなくて済んだりと、いろいろなメリットがあるのです。すなわち「コンフォートゾーン」とは、願いが叶わないことが心地良く感じられる**「安全な場所」**のことなのですね。

ライオンがパートナーを見つけるときを考えたらよくわかります。ライオンがパートナーを見つけるためには、今のなわばりから出ないといけない。しかし、それには「死ぬかもしれない」という危険がともなうのです。

じゃあ、どうすればいいのでしょうか？　それは、**自分の描いた目標にもう一度フォーカスしてみること**です。そして、その目標を本当に叶えたいかを考えてみましょう。現状と目標を天秤にかけてみるのです。あなたが描いた未来が、現状より**本当に！**　自分を懸けるだけの価値があるのであれば、手に入れるだけの力はちゃんと湧いてきますよ。

そして、どんなに小さな行動でもいいので、まずは一歩踏み出してみる。たいそうなことじゃなくてもいいのです。なにかできそうなことから始めてみるのはいかがでしょうか？

まずは、「今」未来の幸せのためにできそうなことを探してみませんか？「今日」から始められることですよ。目標までのプランを立てるだけでもいいと思います。

今年こそ、コンフォートゾーンから一歩踏み出して、幸せを手にしてくださいね。

第3章

ベストパートナーと出会う ヒミツのマインドセット

宝石のように輝いて

私のオフィスでは、特にハイクラスな男性との結婚を目指していない方でも、潜在意識をクリアにして自分自身を整えていくと、自然とパートナーがバリバリと働くようになられて、ハイクラスな男性になられるクライアントさんが多いんです。それくらい、人って存在しているだけで、まわりの人に影響を与えているんですよ。ここからは、より自分を高め、宝石のように輝く自分になって、ベストパートナーと出会うヒミツのマインドセットをお伝えしていきます。

私が卒業したＧＩＡ（米国宝石学会）とは、世界最高峰の宝石鑑定機関で、卒業生の中にはかつて皇太子妃候補ＮＯ．１だった方もおられたそう。ほかに類を見ないほど大きくて美しいダイヤモンドには、必ず名前がついているのですが、名前がつくような著名なダイヤモンドはＧＩＡで鑑定されます。

ＧＩＡは無数にある鉱物のうち、**「美しく」「希少」**で**「強い」**ものだけを**「宝石」**と定義しています。美しくても弱かったり、美しくても希少性に欠けるものは、「宝石」とは呼ばないのです。

私が前職の美術業界で見てきた国内外のトップのお客様の奥様方は、みな**「美しく」「個性豊か」**で**「強靭なメンタル」**をお持ちでした。外側は優しく穏やかでも、内面は強くしなやかです。

時代の波にのまれず、波にうまく乗ることのできる女性は、強さとしなやかさの両方を持ち備えているべき。最高に輝くために、外見だけでなく内面にも磨きをかけましょう。

また、著名なダイヤモンドは、最高の職人によってカットされます。カットは人と宝石のコラボレーション。その美しさを際立たせるために、どこを残して、どこをカットするのか？　職人の腕が問われます。あなたもまた、良いマインドセットで、自分自身の美しさをさらに際立たせることができます。

これからお伝えするマインドセットで愛へのブロックを解放すると、あなたの本当の美しさ、持って生まれた個性や才能や強さが輝きを放ち、幸せなパートナーシップが叶います。本来の自分との出会いが、ベストパートナーとの出会いにつながるのです。さあ、あなた自身の輝く本質に出会うご準備はよろしいかしら？

最速で幸せな結婚を叶える方法

ここでは、「今年こそ幸せな結婚をしたい！」と思っている方に、**最速で幸せな結婚を叶える方法**をお伝えしますね。

その方法とは……**「コミットメント」**です。コミットメントとは自分に対する決意や誓いのこと。コミットメントがあるナシで、婚活の流れがまったく変わってきます。コミットメントのある人は、出会う人も変わりますし、起こる出来事も変わります。

幸せを手にされた方たちに共通していたのは、**「必ず自分でつかみ取る」**というコミットメント。つまり**「こうなりたい」**ではなく、**「こうしていく」**と先に決めて取り組んだので、結果がついてきたのですね。
婚活がなかなか結婚につながらない人は、**「そもそもどこを目指しているのか？」**というゴール設定ができていません。幸せな結婚を**「最短で」**引き寄せるのに必要なのは、**「いつまでに叶えたいのか？」**と期限を決めること、そして**「どんな人を引き寄せるのか？」**を決めることです。

決めないと、エネルギーが「全然」動き出さないんです。今の現実の中に答えとなる人がいないのだったら、ゴールを設定して、外に意識を向けるべきではありませんか？　そして、一歩でも踏み出すべきではありませんか？　機会がないと感じるのなら、「ないない」と言わずに、自分で作るべきです。
自分の力を信じて行動すること。幸せをつかむ人は、セラピーを受ける前にすでに、**「絶対に幸せになる。元を取ってやる！」**と決めていらっしゃいますよ。

あなたのコミットが未来を創ります。

まずは絶対に幸せになると決めること。潜在意識はゴールを決めると、それに従って動き出します。みんなにできるんだからあなたも大丈夫。あなたは今年、自分自身にどんなコミットをしますか？　あなたが決めることで、未来が決まりますよ。コミットメントであなたの新しいページが開かれていきます。どんな素敵な人や出来事があなたを待っているのでしょうか？　とても楽しみですね。

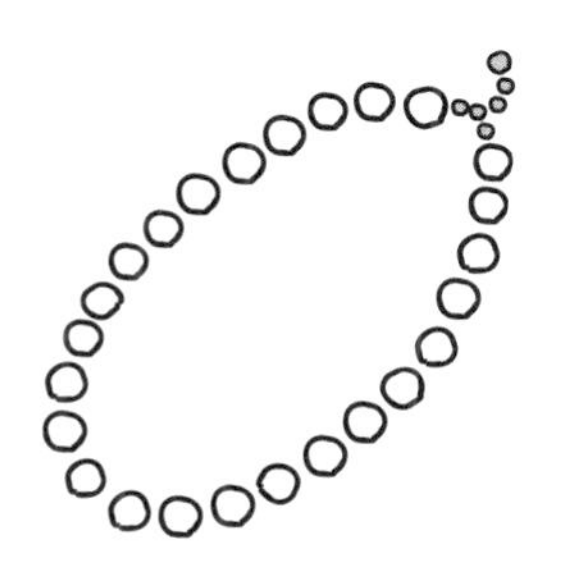

最愛の彼は恋のアンテナでキャッチする！

幸せをつかむ人は、アンテナを高く立てて情報をキャッチします。そして、キャッチした情報をもとにどんどん行動しています。なかなか恋愛がうまくいかない人は、情報にうとい傾向があります。

新しい時代の流れに乗るには、情報弱者を卒業することが大切です。そのためには、日頃から目標を意識すること。そして、必要な情報を集めることです。

潜在意識には、磁石のような働きがあります。

だから、日々をただなんとなく過ごすのではなく、「今、こんな情報がほしい」

と意識することで、より良い情報をいち早くキャッチすることができるのです。

無料でも良い情報はありますが、本当に良い情報を得るためには、コストを惜しまないこと。無料だと得をしたように感じる方もいらっしゃるかもしれません。でも、本気で幸せをつかみたいと思うのなら、お安い無料マインドは捨てましょう。無料マインドでは、いつまで経っても本当に大切なことを知ることはできませんよ。

そして、日頃からアンテナを高く立てておくと、本当に必要な情報が入ってきて、それが良い出会いを引き寄せます。私のクライアントさんたちが、良い出会いを引き寄せるのは、セッションで五感と六感を研ぎ澄ますから。彼女たちは全身が、宇宙から必要な情報をキャッチするパラボラアンテナみたいになっているんです。

お買い物のときや、お友達と会うときなども、頭を柔らかくして、常に情報収集をするという意識を持ってください。そして、ずっといろんなものを見てまわること。なんとなく過ごさないことです。

いつ訪れるかわからない出会いのために、自分を整えて準備すること。**チャンスは誰のもとにも訪れます。**もちろんあなたのもとにも。そのために日頃からの準備が大事なんですね。そして、ぜひ今年キャッチしてね、最愛の彼。

彼にあなたを見つけさせてあげて

潜在意識には「**現状を維持する**」という働きがあります。そのおかげで昨日と同じように心臓は鼓動を打ち、昨日と同じように今日も、そしておそらく明日も呼吸ができるのです。だから、あなたが自分から変えようとしなければ、昨日と同じような明日が今後もずっと続いていきます。

潜在意識の中には、時間の感覚がありませんので、そのままで5年10年経つ人も少なくありません。浦島太郎の物語は、そのことを如実に表していますね。

5年後、そのままでいいですか？　10年後、そして20年後は？

でも大丈夫！　あなたはこれからご自分のことを、客観的に見ることができるようになります。人の中には**「未来を見る力」**という素晴らしい力が眠っています。その力を使うと、愛であろうと豊かさであろうと、なんでも手にすることができるのです。自分自身で答えを見つけ、漕ぎ出していく、その力を発動させることが自分でできるんですよ。それって素晴らしくないですか？

以下は、クライアントさんからいただいた気づきのメッセージです。

「目標に向けてまずできそうなこと」

いつお誘いがあってもＯＫなお洋服を着る。

「寒くなるとコートを着るから中のお洋服はそこそこになり、制服のブラウスの上にセーターだったり、予定のあるときだけコートを脱いでも大丈夫な格好をしているのですが、それだと急なお誘いのときに『今日はごめんなさい！』となるので、ふだんからきちんとした格好をするようにします」

一見小さなことのようですが、小さなお誘いが大きなチャンスにつながっているかもしれないことを考えたら、

未来に視野を向けることができる。
未来を見据えて行動できる自分になる。

ということが自発的にできるようになります。幸せな未来に対して準備を整えたりすることがどれほど大切かおわかりですよね？　だからあなたも、いつ訪れるかもしれない素敵な出会いに備えて準備することから始めませんか？　そして、最愛の彼にあなたを見つけさせてあげてくださいね。

経験があなたを美しくする

生きていると、いろんなことがあります。婚活でもビジネスでも、いろんなことが起こります。うまくいくことも、いかないことも、もちろんあるでしょう。でも、1つ1つの出来事から学んで、「よし、次はこうしよう！」と次回への教訓にすることができたら、それは「失敗」ではなく**「経験という宝」**になるのではないでしょうか？

光り輝くダイヤモンドの中には「内包物」が入っていることがあります。それは一見「傷」のように見えますが、これはそのダイヤモンドにしかない**「個性」**であり、そのダイヤモンドが経験した歴史を表す**「アイデンティティ」**なのです。

過去の体験から学び、経験を重ねて、未来に活かしましょう！

あのイチロー氏だって、現役時代何千回もの悔しい思いを「経験」という糧にして前進してこられました。トップクラスのビジネスマンも、より良い結果を出すために、常に結果を検証して改善していくことを繰り返しています。ちなみに、モテる人は意外と失敗談も多いのですよ。

失敗を受け流せるメンタリティが次の成功を引き寄せるのです。そして、経験値が増えるので、人間的な深みが増し、まわりに良い人が集まるようになるのですね。

一方、うまくいかない人によくあるパターンは、「婚活パーティーやお見合いでいい人がいなかった」で止まってしまい、そこから何も改善したり学んだりしないため、何度も同じ結果を引き寄せてしまうことです。

婚活パーティーにいい人がいなかったら、参加している人の服装や会話から学ぶこともできますし、次回からは、違った形の婚活のほうが自分には合うかも？　と新しい出会いの場を探すこともできますよね。そう、打つ手は無限にあるのです。

どうやら、幸せの秘訣は**「できるまでやる」**。これ以外になさそうですよね。あなたがやることは、学びながら進むだけ。どのような経験も、あなたを強く美しくするのです。

あなたの笑顔が素敵なわけ

婚活でライバルたちより一歩前に出たくはありませんか？　ここではライバルから頭1つ抜きん出てしまうヒミツをお伝えします。

「素敵だな」、「いいな」と思う男性に「ニコッ」とされたら……嬉しくないですか？

素敵な人に「ニコッ」としてもらうには、まず先にこちらから「ニッコリ」する必要があります。

アメリカから帰ってきたときに気づいたのですが、おそらく日本人全体の課題だろうと思ったのは「表情がカタイ」ということです。「少し微笑む」ということにただ慣れていないのでしょうが、まるで「微笑むとソン！」というように見えてしまう人のなんて多いこと！

まず、お顔全体が映る手鏡をご用意ください。そして、手鏡に向かって「ニッコリ！」してみましょう。このとき、手鏡は目線と同じか、少し目より高い位置で。鏡を目線より下にするととっても怖くなります。それは10年後の姿だからです。

口角をしっかりと上げてください。雑誌の表紙モデルさんなどをお手本にしてみてもいいですね。練習の段階でしっかり口角が上がるようになって、本番でやっと「柔らかい表情」になります。みなさん「結構笑っていない」です。スマイルは0円でできますが、この0円が一生の豊かさを呼び込むことだってあります。

私が以前勤めていた会社の社長や重役の方々。綺麗な女性はもう見飽きているような恵まれた方々です。彼らが女性のどこを見ていたか？　それは**「表情」**です。

「あの子はいつも笑顔で偉いね」、「あの子は笑顔を欠かさないね」。彼らは女性の「表情」に動かされていました。ほかにもっと綺麗な人はいたのに！

スマイルをケチってはいけません。ニッコリされて嬉しくない男性はいません。表情筋が自然な柔らかいスマイルを覚えるまで、手鏡で練習しましょう。愛を持っているだけじゃなくて、表現していきましょう。あなたから愛を広げる準備をしましょう。輝く笑顔が輝く未来を呼び込みますよ。

愛のメッセージを受け取るには？

潜在意識は、あなたが受胎したときから、あなたとともにあり、常に必要なメッセージを送ってくれています。もし、あなたの願いが叶っていないのだとしたら、まだ潜在意識からのメッセージを受け取れていないだけなんです。

でも、潜在意識とつながると必要なメッセージを受け取るのが上手になり、さらなる幸せへと導かれます。ここでご紹介するのは、セラピーを受けてパートナーが現れたクライアントさんのお話です。Nさん（40代、自営業）は、彼との関係性をもっと親密にしたいときに、潜在意識から次のような素敵なメッセージを受け取られました。

「潜在意識にどうしたらいいか問いかけたら、『**愛する人からかけてほしい言葉を、自分で自分にかけてあげて**』というメッセージをもらいました。今日は、それをやって過ごしています。そうするとなんだか自分を愛おしく感じるような、自分は大切な存在だって実感するような、不思議な感覚です」

自分自身がかけがえのない存在であるということに気づかれるなんて素敵！

彼からの愛を受け取るには、まず自分自身を愛で満たすこと。そうすると、もっと自分らしく、イキイキとした愛され体質になっていきますよ。あなたもご自分の潜在意識に問いかけて、愛のメッセージを受け取ってみませんか？

幸せな結婚に年齢は関係ない！

私はアメリカ留学時、父の知人のご夫妻にお世話になり、とても良くしていただきました。ご主人はアメリカ人のトミーさん。奥様は日本人のユミさんです。トミーさんはユミさんより17歳年下です。

あるときトミーさんは私に言いました。「チエコ、年齢はただの数字だよ。僕は最高の女性を妻にしたんだ」。トミーさんは日本人女性と結婚したことで、ご自分の世界が広がったことを私に誇らしくお話ししてくださいました。

トミーさんはお料理が大得意！　私が遊びに行くと、いつもテーブルいっぱいのごちそうでもてなしてくださいます。ユミさんもまた、「私にはなんにもさせてくれないんですよ。こんないいダンナいませんよ」と、食事の際に私にのろけてくださいました。

ユミさんは日本在住時に、アメリカに留学したお嬢様から「ママ、私、もう日本には帰らない」と言われて、「もうビックリして、私もアメリカに来たんですよ～」と、アメリカに渡られたきっかけを話してくださいました。

「もう○歳だから」って、自分に暗示をかけるの、そろそろやめにしませんか？

あなたが「今がスタートライン！」と思ったら、いつでも新しい人生の始まりですよ。

ハイクラス男性に愛される女性になる方法　その1

私のオフィスでハイクラスな彼ができたり、ハイクラス男性とご結婚される方は、ある2つのことができています。

1つ目は「**精神的な自立**」。
2つ目は「**経済的な自立**」です。

経済的な自立ができているのに、なかなか恋愛が結婚に結びつかない方は、表面的には自立できていても、潜在意識レベルでは自立できていないケースが多々あります。

時折「(私は結婚して夫に食べさせてもらうから)経済的な自立は別にいいです」とおっしゃる方がいるのですが、こういった方はなかなか良いお相手と出会うのが難しい傾向があります。まず、結婚するまでに自分で自分を支える必要がありますしね。

そして、最近「婚約破棄」でいらっしゃるケースが本当に多いのです。その理由には「経済的に自立できていない」という厳しいものもありました。お相手の方が弁護士など社会的に高い立場にいらっしゃり、高い収入も得ておられる方だったことも。

最近のハイクラス男性は「養ってあげる」という感覚よりも、自分と同じ目線でいられる女性や、話題や経験が豊富な楽しい女性を好む傾向があるようです。

今は昭和ではなく令和ですから、時代の流れはとても速くなり、感覚的にも新しい時代にフィットする方が良いご縁をつかまれるのも、なるほど、うなずけます。

私のオフィスで会社経営者などハイクラスな彼ができた方は、みなさま「**精神的な自立**」と「**経済的な自立**」の両方を備えた方たちですね。

女性も経済的にしっかりと自立していると、パートナーを選ぶとき、「**本当に相手のことを好きかどうか**」だけで選ぶことができますよね。そして、純粋に相手が好きだという気持ちって、やはり伝わると思うのです。純粋な気持ちで愛し合うために、自分の足で立つことが必要なのですね。

潜在意識のレベルでは、愛と豊かさの根っこは意外にも同じだったりします。現代に生きる女性として、しっかりと自分の足で立つことの大切さが、パートナー選びの点においても、世相に現れているようです。

ハイクラス男性に愛される女性になる方法 その2

ハイクラス男性に愛される女性は、自ら行動を起こします。

例えば、自分の興味のあるブログや本を見つけ、読んで学ぶこと。それも、行動の1つです。だから、この本を読んでいるあなたはもうすでに、自分から行動を起こしていますよね。そういう能動的な女性は、能動的な男性を引き寄せます。

ハイクラス男性がハイクラスたるゆえんは、いろんなことに興味を持ち、それを実現する力があるということ。人は、動いているものに興味を持ちます。ハイクラス男性も、決して例外ではありません。

彼らが興味を持つのは、じっと待っている女性ではなく、自分から手を伸ばして幸せをつかもうとする人。じっとしていても幸せは訪れません。じゃあ今、パートナー探しをしているあなたには、何ができるでしょうか？

まず、ご自分が幸せになるためにできそうなことを、リストアップすることから始めませんか？　外見だけでなく、内面も整えるために、必要なことを書き出していってください。そして、それを1つ1つ実行していきましょう。自分から動く方には、絶対に運命も味方します！

自分の運命のハンドルを自分で握る女性。

そんな女性は、ハイクラス男性からだけでなく、運命からも愛され、満足のいく人生を送ることでしょう。

一生輝き続ける人になる

ここでは、日本を代表する大企業の会長夫人の姿勢から、潜在意識を味方につけ、一生輝き続ける人になるヒミツを学びましょう。

私が美術業界にいた頃、何十億円ものお買い物をしてくださった、日本を代表する大企業の会長がいらっしゃいました。ここではその会長夫人のお話をします。

ある日、夫人はひと通り作品をご覧になり、説明を聞かれたあと、私たちスタッフに体が二つに折れそうになるくらいの丁寧なおじぎをされ、お帰りになりました。

先輩が驚いた顔で私に、「見た？　会長夫人のおじぎ。すごいよねえ！」と言いました。本当にすごいおじぎでした。

会長夫人が私たち美術のプロフェッショナルから教えを乞う姿勢。その謙虚さは実は、潜在意識からメッセージを受け取る際に、一番必要なものなのです。

一方、私が宝石業界にいたときに来られた、ほかの一部上場企業の社長夫人のお話です。

終始、何がそんなに偉いのかな？　というような、ぞんざいな態度。後ろにひっくり返るんじゃないかしら？　という感じで、私たちの説明を聞く姿勢などまったくありません。きっと会社そのものも社員の意見なんて聞かないんじゃないかしら？　と思っていたら、案の定、その会社は他社に吸収合併されました。あらま、会社がひっくり返ったんですね。まさに一部が全部を表しています。

実は潜在意識もそうなんです。

潜在意識は**「常に」**私たちみんなにメッセージを送っていますが、そのシグナルは大変ひそやかです。一瞬のひらめきや感覚、あるいは虫の知らせだったり……謙虚に耳を傾けない人は、潜在意識からのメッセージを受け取れないのです。これは大変残念なことです。

心を静かにして自分の内側の声を聴くと、潜在意識のメッセージをクリアに受け取れるようになりますので、私のクライアントさんたちは、将来設計など、普通の人が延々と考えても答えが出ないようなことでも、ふと浮かんだりする方がとても多いですね。

ご自分でできるカンタンな方法としては、一日のうち、ほんの少しでも静かな時間を作ることです。

潜在意識からの小さなメッセージをぜひ受け取ってみてください。

あるいは、日常の小さなヒントを見逃さないでください。あなたのまわりで起こることすべてがあなたへのメッセージ。小さなヒントであっても、あなたの未来にとって決して小さくない影響を与えると思いますよ。

男性だって聞いてほしい！

ここでは、私が美術業界にいたときに出会ったハイクラスな男性について、実例をあげて学んでまいりましょう。

美術業界には受付として入社しました。倍率は400倍以上でした。2020年の宝塚音楽学校の倍率が約21・3倍でしたので、それよりははるかに狭き門でした。
最初に配属された部署は本当に気に入らなかったので、転属を念じ続けたところ、念願叶って希望部署に転属になり、1人で1店舗を任されることになりました。

私しかいないので、仕入れや催事の準備、接客まで全部1人でこなし、ここで初めて起業気分を味わうことに。働きたくて仕方がなかった職場でしたが、受付はあまりしゃべらなくても良かったのに、ここでは営業もしなくちゃいけない。

いきなり新しい作品ばかりで、教えてくれる人もいなかったので、知らない、できない、しゃべれない、の三重苦！


どれくらいしゃべれなかったかと言うと、私は小学校のときに一度転校した際、転校前のクラスメートたちがみんなで私に文集を作ってくれたのですが、その文集にクラスの男の子が「君はおとなしすぎます」って書いていたくらいですから、筋金入りなんですよ。

そういうわけで本当にしゃべるのが苦手だったので、ただお客様のお話をじっくりと伺う毎日でした。お話を伺うときに気をつけていたことは、お客様の気持ちをサッと察したり、お客様のおっしゃることに対して、時折うなずいたり、オウム返しで返答したりして、会話に調和をもたらすこと。そして、落ち着いて振る舞い、笑顔を絶やさないことも意識していました。

また、人に興味を持ってもらうには、自分も相手に対して興味を持つことが大切です。相手の世界観を尊重する。時事や趣味などお客様方が興味を持っていらっしゃることも自分なりに一所懸命に勉強して、理解できるようにしておいたり、見えない努力はしていたように思います。そして大切なのは、相手を決して否定しないことです。

扱っている物が物なだけに、ハイクラスなお客様しか来られません。じっくりとお話を伺っていると、徐々にお客様方は本音や弱音をポロッともらすようになってこられました。秘書や社員との関わり、社内問題など。ハイクラス男性が弱音や不満を吐く場所はそんなに多くないようでした。

そうしたら「この子はガツガツしてない」、「売りつけてこない」と思っていただいていたみたいで、こちらからまったく営業をしないにもかかわらず、ご自分が役員をされている会社に数百点もの作品をお買い上げいただいたことも。男性だって、聞いてもらいたいんですよね。というか、男性だって人間なんですよね。

まずは聞き上手から始めませんか？　これなら口下手さんだって大丈夫。あなたも人に受け入れてもらって、じっくりと話を聞いてもらったら嬉しくないですか？　それなら、あなたがしてほしいって思うことを先にやってあげるのです。

ご自分の強さと弱さ、両方を受け入れられるようになると、相手の気持ちもよくわかるようになってきます。そうすると、男性はもうあなたのことを離さなくなるでしょう。幸せはあなたの内側から始まっていますよ。

ハイクラス男性を知ろう！

結婚相手に条件を求める女性も多いと思います。私は、女性が結婚相手に条件を求めることは、決して悪いことではないと思います。ただ、自分がかかげた条件に見合った努力は必要になってきますよね。ここでは、そんな向上心あふれる女性のために、ハイクラスな男性について、私がアメリカ留学時に遭遇した実例をもとに理解を深めていきましょう。

私が最初に留学していたアメリカ東部の街・ボストンは、「アメリカの頭脳」と呼ばれるほど、超一流の大学や大学院が集まっていて、近郊にはハーバード、MIT（マサチューセッツ工科大学）など、世界ランキング・トップクラスの学校があり、日本の企業から派遣されて留学している人も多くいました。

アメリカの一流大学院生たちは本当によく勉強します。なぜ彼らがそんなにも勉強するのか？　理由はさまざまですが、1つは、最初に社会に出た時点でのスタートラインが違うからです。みんなが目指す地点に先に立つために、努力を前倒しにしているのですね。


学生たちはこう言います。「昼夜が逆転してるのがしんどい」、「『君は1日8時間しか勉強しないの？』って言われたよ」、「今週は7時間（1週間のトータルの睡眠時間）しか寝てない……」。

そんな世界です。「勉強に一番必要なものは体力」。それ以外に何か？　という感じです。最初から勉強ができる人でも、さらに自分を高めようと努力をする場所。それがアメリカ東部なのです。こんなにも努力しているハイクラス男性だとわかってほしいんですよね。努力を重ねている姿を。

そんな彼に与えられるのを待つだけでなく、自分から与えられる女性になりましょう。

「頑丈だけが取り柄です」↓　なんて素敵！
「笑顔なら自信あるかな」↓　それが一番なんじゃないかしら！
「私が一番優しいと思う」↓　あなたの彼は幸せ者です！
「お料理は得意かも」↓　彼はあなたから離れられるかしら？

そして、もっともっとあなたらしさを発揮したら……
幸せはハイ！　スグそこですよ！

ハイクラス男性だって愛されたい

ここでは、実在のハイクラス男性を例にあげて、愛に対する理解を深めていきましょう。

同じ学校に通っていた、ある国からの留学生Y君。彼は全然そうは見えないのですが、1000年以上続くお家柄の大富豪です。

ちなみに徳川幕府でも300年弱だったので、すごいお家柄ですよね。私はこういう機会には、根ほり葉ほり聞いちゃいます。だって「今でしょ！」って言葉、きっとこういうときに使うのよね⁉

「あなたって、お見合いでしか結婚できないんじゃないの？」

「僕は自分で選ぶよ」

「でも家柄が違うとダメなんじゃないの？」

「家柄なんて問題じゃないよ。僕はどんな家の人でも気にしないよ」


Y君は大変失礼ですが、ハンサムでもないし、全然モテるようには見えなかったのですが、自国では大変モテていたことが共通の友人を通して私の耳に入っていました。


「そういえば、あなたの国のあの女優さん、すっごくキレイよね！」

「あの子は元カノ」

「!?」

「あの俳優さんって素敵！」

「会わせてあげようか？」

「⁉」

私にはうかがい知れない世界でした。

そして、話の前後は覚えていないのですが、いつも面白いことを言ってふざけているY君が、あるとき「完璧な人なんて、誰も好きにならないよ」と言ったことが、そのあとずっと耳に残っていました。いったいどんな経験が、学生の彼にそんな大人びた言葉を言わせたのでしょうか？　誰しも愛されたくて、完璧を目指しがちですよね。

日本以外からの留学生たちは、年齢の割にはなんだか大人びた人が多かったですね。経験がそうさせるのでしょうか？　ハイクラス男性も、ありのままを女性に受け入れてもらいたいんじゃないかしら？　私はそんな気がしました。

いいものは知っているから、偽ものはすぐに見抜いてしまう。だってありのままを見る目があるから。だからこそ、自分自身のありのままの姿を、女性にも受け入れてもらいたいのではないかと思いました。

見た目も大事ですが、「これは大好き！」、「これだけは人より知ってるわ！」って言えるだけでも人間的に厚みが出ますよね。メイクより、素肌の美しさを見ている人たちは存在します。だからごまかせない。だから、素肌も内面も両方を磨いていくしかないのですね。

人は、愛が足りないと感じたとき、自分以外の誰かになろうとします。

あんなふうだったら、もっと愛されるかな？

ああなれば、もっと愛されるかも。

でも、ありのままってきっと最高！　たとえそれを認めるのに一生かかったとしても、やっぱりありのままのあなたが一番。

そして、彼のありのままを受け入れられる女性。そんな女性って素敵よね！　そうなるためにはまず、ありのままの自分を受け入れられるようになること。スタートは、そ・こ・か・ら。

ヒマでお金がありあまる彼を狙い撃ち！

ここでは、ヒマでお金がありあまる彼に対する理解を深め、彼を狙い撃ちにしましょう！

世の中にはお金がありあまって、しかもヒマで仕方がない人種が一定の割合で存在します。私が前職についていた際、全国に生息を確認しました。

彼らは先祖代々の資産があるので、一生働くことはありません。私が学生時代にアルバイトしていた美術館の家系の方々も、親戚一同みなさんそうでした。

あるいは、「自分が会社に行かないほうがうまくいく」と、ヒマをもてあましている社長さんたちも、以外とそのへんをブラブラしていましたよ。

私が美術業界にいたときに、お客様によくランチにお連れいただいた高級ホテルのレストランには、そんな人たちも来られていました。お1人でお食事の方も多いんですよ。

彼らの不器用さをどうかわかってさしあげてください。あなたが見つけてあげないと、彼らはずっと1人です。ぜひつかまえていただき、ご一緒にお食事をしてさしあげてください。

ヒマでお金があると、人はたいてい趣味に走ります。だから、趣味が趣味の範囲をはるかに超えている場合も多いのです。一般には出回りにくいと思われがちな人種ですが、ちゃんと日本にしっかりとした根を張っています。

ヒマでお金がありあまる彼とつながるには、自分の興味を大切に。ものすごくニッチなことでも大丈夫。本を読み、知識も高めましょう。お仲人さんなどにお願いするのも良いお考えです。すべての人脈を使い、細い糸をたどりましょう。

あと、常にそんな彼が「**もうそばにいる**」という前提で日々を過ごしましょう！

あなたの意図が、ご縁の糸となりますよ。

そう考えると、できることは、たくさんありそうですね。すぐに結果が出なくても、本当のご縁は、細い細い糸でつながっています。

良いご縁を遠ざけるネガティブな考えは早く捨て去り、愛を受け取る準備が整ったあなたは、もう愛と豊かさの渦の中！

第4章 幸せな結婚を叶えるワーク

ここではさまざまなワークで潜在意識にダイレクトにアクセスし、よりパワフルに願いが叶うことを促します。本来の自分に戻ることで、あなたにピッタリのパートナーと出会えるようになります。自己催眠のワークもありますので、ご自分の内側に触れることで、あなた自身があなたの人生の主人公であることに気づかれることでしょう。

伸びやかな自分を発揮する自己催眠

子供はエネルギーのかたまりです。あなたが婚活で力を発揮しきれていないとき、心の中の小さな子供「インナーチャイルド」を癒すと、婚活において伸びやかに自分を発揮できるようになります。

ここからは自己催眠ワークが始まります。まず静かでリラックスできる1人だけの時間と空間を用意してください。明かりを少し暗くしてもいいですね。服装は体をしめつけないリラックスできるものがいいでしょう。そして椅子か床にゆったりと座ります。

このとき注意点が3つあります。1つ目は寝た姿勢を取ると本当に寝てしまうこともありますので、座った姿勢のほうが良いということ。２つ目は運転中にしないこと。３つ目は機械の操作中にしないことです。
もしうまくいかないと感じたら、いつでも目を開けて中断すれば大丈夫です。

ハッキリと見えなくても、うっすらとした感覚だったり、「こんな感じかなぁ」と、ふと感じるままでいいですよ。想像みたいな感じで大丈夫です。**約9割以上の方は「想像みたい」な感じで催眠状態を体験します。**また、想像みたいな浅い催眠でも深い催眠でも、通常のセラピーにおいては同様の効果が得られますので安心してくださいね。

以下の台本を読みながらイメージしてもいいのですが、録音して、それを聞きながらやるとイメージしやすいかもしれません。その際、台本はできるだけゆっくりと読むこと。録音する前に一、二度台本を読んで練習してもいいですね。さあ準備はよろしいですか？　それでは始めましょう。

＊

リラックスして座り、目を閉じてゆっくりとした呼吸から始めていきましょう。

最初は、鼻からゆっくり吸って口からゆっくり吐いていく呼吸を何度か繰り返していきましょう。

吐く息とともに、いらなくなった感情や古くなった感情が出て行くのを許してあげてください。そして次に鼻から吸って鼻から吐いていく、いつもの自然な呼吸をしていきましょう。


内側の深い呼吸を見つめていきます。そうすると、頭のてっぺんからリラックスした感覚が、呼吸とともに額のほうへと広がっていくのを感じるかもしれません。

そして呼吸とともに眉のあたりの筋肉がゆるんで、まぶたの奥のほうまでリラックスした心地良い感じが広がっていきます。そして、その心地良い感じが顔全体に広がっていくと、顔全体の筋肉がゆったりとほぐれていくようです。

そして、さらに深い呼吸とともに、リラックスした柔らかい感覚が、首から肩のほうへと伝わっていきます。そうすると肩の力がゆるんで、肩から腕へとリラックスしたあたたかい感じがおりていって、そのゆったりとしたあたたかい感覚が両腕からひじを通って、手首から手の先まで広がっていくと、余分な力がどんどん抜けて、腕全体がさらにゆったりとリラックスしていくようです。

あなたのリラックスが深まるにつれて、そのゆったりとしたあたたかいようなやわらかいような感覚が肩から胸全体へと広がっていって、呼吸がさらに深くなっていくようです。

そして深い呼吸とともに、肩から背中のほうへとほぐれた感じが広がっていって、今度はやわらかくほぐれたような感覚が、背中から腰全体へと伝わっていきます。

そしてさらに、リラックスしたあたたかい感覚が胸からおなか全体へと伝わっていって、そしてその感覚が腰から太ももを通って、ふくらはぎから足の先まで伝わっていくと、脚全体がさっきよりもっとあたたかく、もっと重く感じられるかもしれません。

そして今、あなたは真っ白な癒しの光ですっぽりと包まれています。この中にいるとあなたは完全に護られていて、とっても安全で安心することができます。この光の中には、あなた以外の誰も、何も入ってくることができません。だから、安心して深い催眠の世界を旅することができるんですよ。

（※催眠中は無防備な状態になりがちです。そんなとき、ネガティブなエネルギーからあなたを守るために、必ずプロテクションの白い光でご自分を包むのを忘れないでください）

それでは次に10から1まで数を数えると、あなたは過去の楽しかった場面へと戻っていきます。それでは数を数えます。

10、9、8、過去へとさかのぼっていきます。
7、6、5、あの頃へ戻っていきます。
4、3、2、1、小さい頃の楽しかった場面へと戻っていきます。

＊小さい頃の楽しかった場面のあなたはどこにいますか？

＊何をしていますか？

＊どんな表情をしていますか？

＊何を着ていますか？

＊まわりに誰かいますか？

＊まわりはどうなっているでしょうか？

その場面を見て、聞いて、もう一度その楽しさを味わってみましょう。

そして十分に楽しかった場面を体験したら、今度はあなたにとって癒しを必要としている場面や、もっとこうだったら良かったのになあと思う場面に行ってみましょう。

＊どんな場面が出てきましたか？

＊その場面のあなたはどんな様子でしょうか？

＊まわりに誰かいますか？

＊何か音は聞こえますか？

＊体にどんな感覚を感じていますか？

＊何を思っていますか？

その場面を見て、聞いて、そのときの思いをもう一度感じてみましょう。

＊その場面自体を真っ白な癒しの光で包んであげてください。

そして、次に３つ数を数えると、あなたは次の３つの方法でこの場面を書き換えることができます。１つ目は大人のあなたが行って声をかけてあげたり、アドバイスしたり、助けてあげる。２つ目は誰か助けてくれる人が来ます。３つ目はあなたの好きなことが起こります。

それでは数を数えます。

3……、2……、1……、新しい場面になります。

新しいイメージに変わったら、十分にその新しい場面を見て、聞いて、感じてみましょう。そして十分にその感覚を味わったら、新しいイメージのインナーチャイルドはだんだんと現在の年齢まで大きくなっていきます。その年代から10代……、20代……、（30代へ）、そして現在まで大きくなって深呼吸しましょう。そして今ここに100％戻ってきて、準備ができたらゆっくりと目を開けてみましょう。

＊

潜在意識はイメージと現実の区別がつきません。だからイメージを書き換えることによって、現実も変わっていくのです。

ノーベル経済学賞を受賞したジェームズ・ヘックマン教授は、「5歳までのしつけや環境が人の一生を左右する」と言っています。それくらい人生の最初の数年は重要で、人生全体に影響をおよぼします。インナーチャイルドを癒し、子供の頃につちかった古い信じ込みや価値観、今となってはいらなくなった感情を手放すことにより、自己価値は上がり、潜在能力は高まります。

子供の心は、12~13歳ぐらいまでまわりで起きたことすべてを取り込み、その後の人生を左右する価値観が潜在意識の中にでき上がります。大人の自分からしたら吹けば飛ぶような出来事も、子供にとっては重要だったりします。つまり子供はミニサイズの大人ではないということです。

また、トラウマなどの大きな出来事だけが、大人になってからの婚活に関係しているとは限りません。特に近年では「ご両親のことは大好きで仲良し」、「愛ならむしろいっぱいあった」というケースも少なくありません。真綿のようなふんわりとした愛情であやつられているケースや、環境に適応しすぎて自分らしさを発揮できなくなったケースも多々あります。ですので、催眠中に浮かんできた微細な感覚にまで意識を向けて、必要に応じて書き換えていくことが大切です。

イメージの世界は自由です。インナーチャイルドに限らず、過去のつらかった出来事や、「もっとこうだったら良かったのになあ」と思うような出来事を、どんどん書き換えて潜在能力を発揮し、婚活や人生全体の可能性を広げていってください。また、大きな出来事を取り扱う場合は、何度も繰り返しやることや、必要であればプロに任せることも大切です。

あなた自身の本質に触れて願いを叶える方法

あなたが思い描く未来のパートナーの「素晴らしい点」ってどんなところですか？

想像でいいんですよ。イメージをどんどんふくらませてみましょう。

「私の彼はこんなところが素晴らしい」という点です。

そして、それを紙やノートに書き出してみましょう。スマートフォンにメモしてもいいですね。

数は多いほどいいです。枝葉も広げて、最低でも20個は書きましょう。仕事の面、心の面、プライベートをどう過ごしているか、など。

例えば……「たくさんお金を稼げる」1つとっても、枝葉を広げると、

＊能力を発揮している

＊決断力がある

＊人間関係を大切にしている

＊食事や運動など体調管理をしっかりしている

＊折れないメンタル

など、広がっていきますね。

さて、できましたでしょうか？　書けましたら、この続きを読んでみましょう。

あなたが書いてくださった「私の彼はこんなところが素晴らしい」という点は、実は……あなたご自身の隠れた才能なのです。

どうですか？　ビックリされましたでしょうか？

人は自分の中にあるものしか、人の中に見ることができません。それが、たとえどんなにイヤな点でも、素晴らしい点でもです。

「彼の中にしかない！」と思っていた素晴らしい点を、実はあなたも持っておられたのですね。それがあなたの隠れた才能であり、今後の課題でもあるのです。

隠れた部分を表に出すには……、「磨かねば！」いけないのです。

ただ思っているだけではなかなか思いは現実化しません。でもあなたの中にあるイメージは、書き出して視覚化することで現実化しやすくなります。日々まわりの人との関係性や起こった出来事、将来の目標を、ノートなどに書き出す習慣を身につけましょう。

そうすると潜在意識とつながりやすくなり、パートナーシップが良くなるだけでなく、学ぶことが楽しくなり、仕事や人間関係が自然に上向きになります。それができるのが潜在意識なのです。

このワークのポイントは、未来のパートナーを思い描くときに、たんなる条件づけに終わるのではなく、パートナーの価値観や行動などの本質的な部分に触れることにより、パワフルに現実化する点です。そしてさらに自分自身の素晴らしさにも気づくことができます。

このワークだけで、書き出した点のほぼすべてに当てはまるパートナーが現れて、おつき合いが始まった方もいらっしゃいますよ。

自分でできる未来作り

ここからは「自分でできる未来作り」についてお伝えします。幸せな結婚を叶えるためには、まず「潜在意識のブロックをはずす」ことが大切だとお伝えしてきました。実際それが最短距離なのですが、ご自分でもできることはたくさんあります。

その1つが、潜在意識に「新たなプログラミングをする」ことなんです。「え！プログラミング？」。はい、そうです。プログラミングと言ってもそんなに難しくはありません。

潜在意識の特徴は「イメージと現実の区別がつかない」ということなので、それを利用するのです。そこで新しいプログラミングに役立つのが、「未来のコラージュ」です。

大きな画用紙、または大判（A4ぐらい）のノートの見開きページでもかまいません。それを用意しましょう。そして、未来のなりたいイメージを、雑誌などから切り抜いてペタペタと貼りつけていくのです。もちろん、中心にはあなたの一番なりたいイメージを配置してくださいね！

そして大切なことは、このコラージュの中に、何か対になったものを入れること。カップルのイメージ写真でもいいですし、対になった食器や動物でもいいですよ。つがいのおしどりは、風水的に見るとてもいいですね。例えば、あなたがなりたいイメージの人のお顔をあなたにしてもかまいません。

そしてやめたほうがいいのは、モノトーンだけの画像です。色による細胞への刺激がなくなりますし、寂しげなイメージになってしまいます。人物がまったくいなかったり、物だけのコラージュも、婚活の成就にはおすすめできません。

出来上がったらお部屋の良く見えるところに貼ったり、コラージュを撮影した画像をスマートフォンやパソコンに入れて、ときどき眺めてもいいでしょう。

潜在意識はイメージと現実の区別がつかないので、このコラージュを現実と錯覚し、新たな現実を引き寄せてしまうのです。

コラージュのやり方はいろいろあるのですが、私はクライアントさんたちに、わりと自由にやっていただいています。それでもとても効果があるようで、この方法で、会いたかった人気俳優さんと偶然出会い、ツーショット写真を撮らせていただくという夢を叶えた方や、パートナーと出会われたり、理想の職場や臨時収入を手に入れた方もいらっしゃいますよ。

潜在意識の力を使わない手はありません。ぜひ、おやりになってみてください。まずはできそうな第一歩から。あなたはどんな素敵な未来を引き寄せるのでしょう？　楽しみですね！

未来からのメッセージを受け取る

世の中には恋愛や婚活についてさまざまな情報があり、こうすればいいと書いてあったり、あるいは、人にこうすればいいとアドバイスを受けたりしたこともあるけれど、なんだかしっくりこなかったという人はいませんか？

その場合、アドバイス自体は間違っていなくても、自分に合っていなかったら取り入れにくいですよね。でもどうでしょう？　もしあなた自身の潜在意識から答えを見出すことができたら素晴らしくないですか？　それに、人に言われるよりも納得できると思います。

ここではそんなあなたに素敵なプレゼントがありますよ。さて誰からでしょうか？　ぜひ受け取ってくださいね。

あなたの少し前方に、望むパートナーを得て幸せを手にしたあなたが立っているのをイメージしてみてください。

＊彼女はどんなふうに見えますか？
＊髪型はどうでしょう？
＊どんな洋服を着ていますか？
＊どんな表情をしているでしょうか？
＊どんなところに住んでいますか？

＊どんな仕事をしているでしょうか？

＊まわりにはどんな人がいますか？

＊どんな生活をして、日々をどんな気分で過ごしているでしょうか？

＊どんな考え方や行動、選択をしたからそうなったのでしょうか？

＊そのイメージに香りはありますか？

望む幸せを手に入れた未来のあなたから、今のあなたにギフトがあるようですよ。受け取ってみましょう。

＊そのギフトはなんでしたか？

＊そのギフトの意味を未来のあなたに聞いてください。そして使い方があるのでしたら、それも聞いてみましょう。

そしてさらに、未来のあなたから今のあなたに大切なメッセージがあるようですよ。受け取ってみましょう。

＊どのようなメッセージでしたか？

＊彼女は何をしたから、あなたが見てきた未来のようになったのですか？

＊あなたが今すべきことは何ですか？

そして、これからどんな行動をすれば彼女のようになれるのか、どんな考え方で過ごせばいいのか、どんな人を選んだら良いのかなど、なんでも彼女に聞いてみてください。それはあなたへの潜在意識からの大切なメッセージです。そっとハートにしまっておいて、必要なときにいつでもそのメッセージを出して使ってくださいね。

就寝前は潜在意識のフィルターがゆるんできて潜在意識とつながりやすくなっていますので、このワークは、寝る前にされると、眠っているあいだに夢でメッセージをもらえたり、あるいは、すぐにメッセージを受け取れなくても潜在意識にしみ込んで、日常生活の中や、人やテレビ、本などから偶然気づきがやってくるかもしれません。答えはあなたが受け取れる絶妙なタイミングでやってきますので、安心してくださいね。

そして未来の自分の表情や振る舞い、考え方や物の見方、行動などを「今！」やってみませんか？　未来の自分が着ていた洋服の色を身につけたり、インテリアや小物に取り入れてもいいですね。催眠中に感じた香りをまとうのも素敵です。

外見も心の状態もすべて叶ったときの自分を「今」生きるのです。そうすることで強力に望む未来を引き寄せますよ。なぜなら潜在意識の中では、現在と過去・未来は同時に存在しているからです。

潜在意識の中には、宝箱のように、あなたを幸せにするメッセージがたくさんつまっています。さまざまなワークで潜在意識を味方につけると、あなたの愛は自由に翼を広げて飛び立って行くことでしょう。

第5章

自然体の私で一生愛される

自分にコミット！　が未来を創る

ここでは、潜在意識で実際に幸せな恋愛や結婚を叶えた方のケースをご紹介しながら、応用編をお伝えします。

マリアージュセラピーでは、お1人お1人に合わせたオートクチュールのセッションで、ブロックを丁寧にはずしますので、望む自分になるまでに10〜12回ぐらいのセッションを目安にしていただいているのですが、中には私の長年のセッション経験をくつがえす方もいらっしゃいます。

クライアントのHさん（30代、OL）は、1回目のセッションの2日後にいきなり運命の彼と出会われました。彼は海外在住のエグゼクティブの方。

なんでも、飲食店で食事をした際、隣に座ったファミリーの中の1人とほんの少しお話をしたところ、彼女が以前住んでいた海外の国にその彼も住んでいらっしゃったそうです。

彼と同じ場所に住んでいたことで話がどんどんはずみ、連絡を取り合うことになったのだそうです。「メッチャ急いでて、近寄らないでオーラ出してたのに……」ですって！

潜在意識の中のブロックがはずれると、いろんなこととタイミングが合ってきます。

だから、

「偶然かもしれないけど……」

「たまたまかもしれないけど……」

ということが次々と起こるのです。

Hさんは前の彼が何年も忘れられず、なかなか次の一歩が踏み出せなかったのですが、海外にお住まいの頃のお友達に「恋愛に良いセラピーがある」と聞いて、2日後には私のオフィスにセッションの申し込みをされたのでした。

「(セラピーを受けるという)決意がこうなりました」と彼女は言いました。

新しい選択が、未来の幸せを決めるのですね！　ついこのあいだまで前の彼のことで悩んでいらっしゃった彼女。

通常、過去のご清算が必要な方は、ゼロからのスタートではなく、マイナスをゼロにするところから始まるので、20回ぐらいかかりそう、と予想していたのですが……。

「そういえば、前の彼は……？」と一応聞いてみましたら、毎日新しい彼との連絡が忙しくて、「思い出すヒマがない！」そうです。

確かにセラピーでブロックははずしましたけれど、こんなに早く結果が出たのは、ひとえに彼女が私の話を素直にお聞き入れになり、古い恋愛パターンをスルリと手放してくださったからにほかなりません。あと、彼女が初回にハッキリと「結婚したいです！　子供も産みたいです！」と意思表示されたことが、早くに良い結果を引き寄せた要因です。

コミットすることで、強力に未来を引き寄せたのですね！

1回のセッションで大きな変化があった彼女ですが、展開が早い方には安定が必要なので、その後のセッションでは、良い関係を定着するような働きかけをしていきました。

彼は毎月彼女を旅行に連れて行ってくれるそうなのですが、その費用を全部彼が出してくれることを彼女は「申し訳ない」と、彼の好意を受け取ることへのブロックが浮上してきたので、これも解放しておきました。潜在意識に働きかけると幸せってカンタンですね！　あなたもぜひご自分にコミット！　して、素晴らしい方に出会われますように！

報われない愛を癒して外資系企業社長夫人へ！

ここでは、報われない恋愛パターンを癒して、ヨーロッパの外資系企業社長夫人になられた方のケースをご紹介します。ちょっと突き抜けたケースなのでご自身に置き換えにくいかもしれませんが、潜在意識で幸せな結婚を叶えるセラピーの経緯など、ご参考になるのではないかと思います。

ふだん私があまり書かない雰囲気ですが、恋愛のドロドロとした側面は人間の本質を表しているような気がしますし、どんなスタートラインからでも、人は再生できることをお伝えしたいと思います。

Ｉさんは40代の自営業の女性です。小柄ですが、均整の取れたプロポーション。

パッチリとした大きな瞳で、シンプルな装いが、彼女の小悪魔的な魅力をより一層引き立てています。

彼女にはお付き合いしている人がいたのですが、彼とのお付き合いはなかなか結婚へと進展しそうにありません。ですが、彼女は背が高く有能な彼を大変自慢に思っておられ、彼がどんなに仕事ができる方で、どんなに魅力的かを熱く語ってくれました。


彼女は彼とのデートの話を嬉しそうにしてくださいました。背の高い彼は、小柄な彼女を軽々とお姫様抱っこしてくださるそうです。彼とのお付き合いにご満足なのでしたら、別にセラピーは必要ないんじゃないかしら？ と思い、彼女に1つ質問をしてみました。

「それで、デート代は誰が出すのですか？」。そうすると彼女は「それが……割り勘なんです」と、ちょっと困った感じでお答えになりました。

先ほどまでの恋に恋するイメージから、打って変わって、現実に目を向けられたような感がありました。彼女は自分よりもはるかに高い収入を得ている彼が、デート代を出してくれないことに対して、非常に大きな怒りを感じておられました。

催眠で彼女の潜在意識の、深くへと入っていくと、彼女は子供の頃に戻って行かれました。そこには、お父様にもっともっと可愛がってほしかった、お父様にもっと愛されたかった、という小さい彼女がいました。ですが、世界中を飛び回る有能なビジネスマンであるクールなお父様は、小さい彼女の気持ちにはなかなか気づいてくださらなかったようです。もっと甘えたいと願っている子供の頃の彼女。ですが、なかなかうまく言葉では伝えられません。

潜在意識の力はスーパーコンピューターのように正確に、子供の頃にプログラミングされた通りの現実を大人になってから引き寄せます。

彼女の心の奥底に閉じ込めたお父様への満たされない思いは、大人になってから**「自分の思いになかなか答えてくれない彼」**を引き寄せていたようです。

その後のセラピーでは未来に時を進め、未来の幸せな自分から今の自分を見ていただきました。すると彼女は「私、こんなに頑張ってたんだ……」と言って、ポロポロと大粒の涙を流されました。涙はそんなにもたまっていたのかというくらい、彼女の瞳からあふれてきました。こんなにも愛を求めていた彼女……。

彼女は大人のフリをして、ハートに閉じ込めた傷ついた子供の自分を隠そうと、ずいぶん無理をしてこられたのでしょうね。でも、潜在意識の中の傷ついた子供は、大人になってから、彼女が傷つくような人や状況を正確に引き寄せていたようです。

潜在意識の深いレベルまで癒された結果、彼女の心は輝きを取り戻しました。そして、お仕事がどんどん良い方向に向かわれ、大変忙しくなられました。そしてさらに輝きすぎてしまい……、なんと第2の彼が現れてしまいました。

「恋愛体質」という言葉を聞かれたことがおありかと思います。モテていいなあ、すぐ彼ができていいなあ、と思われるかもしれませんが、セラピストの視点から見ると、恋愛に依存的な傾向がおありの方が少なくありません。恋愛体質の方にとって、次々とお相手を見つけるのは難しくはないのです。彼女もその1人でした。

潜在意識の中では問題は層になっていますので、1枚めくるとより深いテーマが浮かび上がってきます。根深いテーマが浮上すること自体は、健全な治癒のプロセスですので、決して悪いことではありません。セラピーにおいては変化が重要です。変化が起きているということはセラピーが進んでいる証拠なのです。

ただ、このようなケースにおいては、引き止めたりすると、より一層恋の炎が燃え上がりますので、冷静に注意深く観察する必要があります。

新しい彼は世界を飛び回るビジネスマン。彼もまた背の高い有能な方です。彼女は彼の海外出張にたびたび同行し、彼の仕事をご自分なりのアイデアでサポートされ、彼の仕事はグングン上向きになっていきました。

出張先で彼に買ってもらったという宝石のついたリングが、彼女の細い指に輝いていました。海外の出張先で撮ったお写真も見せていただきました。美しい夜景の向こう側に見える大輪の花火が、燃え上がる2人のハートを表しているようでした。夢のような時間を共有している お2人。そんな時間はいつまで続くのでしょうか?

その後、第2の彼の存在は、第1の彼の知るところとなります。ここでは仮に第1の彼をA男さん、第2の彼をB男さんと呼ぶことにしましょう。

最初彼女は、2人の男性から愛されるのを楽しんでおられる様子でした。A男さんがB男さんの存在を気にしてソワソワした気持ちになっているのを、彼女はまるでゲームでも見ているかのようにお話しになりました。

しかし、状況が一変するにはそんなに多くの時間を要しませんでした。A男さんのB男さんに対する嫉妬の気持ちは、徐々に彼女に対する怒りに変わっていきました。

そして、B男さんもA男さんの存在に気づき、A男さんに戦いを挑みました。2人の男性のあいだで、何やら話し合いがもたれたそうです。その結果、A男さんは彼女から離れて行かれ、B男さんには次の彼女が現れ、Iさんは両方の男性から同時に捨てられました。恋は思わぬ形で終わりを告げたのです。

彼女が潜在意識の中にもともと持っていらっしゃった、お父様に対する見捨てられ感は、このような形で実現してしまったのです。セラピーを訪れた彼女は、来られる前にずいぶん泣かれたのでしょう。憔悴し、疲れきった様子でした。

ハートではなく、依存でつながっている関係性ははかないもの。

ですから、相手とハートでしっかりとつながるためにも、ハートを癒しておくことが大切なのです。そういった意味では、３人とも傷ついたハートの持ち主でした。

セラピーは急を要しましたので、即効性のある方法で働きかけることにしました。セラピーが終わる頃には彼女はお疲れが出たのか「眠くなってきました」とおっしゃり、そのままご帰宅されました。あまりにも短いセッションでしたので、引き続き経過を見ていく必要がありました。さて、この恋のゆくえはいったいどうなったのでしょうか？

その後、彼女は内向的な傾向が急に改善されて非常にアクティブになられ、ハイキングに行って新しい人たちとの出会いがあったり、自転車を買ってあちこち自由に出かけるようになられました。

過去に縛りつけられていたハートがセラピーでほどけて、一気に自由を取り戻したようです。心が自由を取り戻すと行動が変わります。行動範囲が一気に広がりを見せるのです。

彼女はハイキングでご年配の方々と出会い、いろんなお話をしてどんなに楽しかったか、自転車でどんなに遠くまで出かけたのかを、本当にイキイキとお話ししてくださいました。このあいだ大泣きしておられた姿が、まるでウソのようです。

ということは……?　**「2人の彼から同時に捨てられ」、「悲しみと絶望のどん底へ」**という体験は**「幸せへのステップ」**だったということですね。

彼女が早い段階で良い結果を受け取られたのには、それなりの理由があります。セラピーを振り返り、考えられる要素は以下の通りです。

＊もともとヨガをやっていらっしゃったので、エネルギーの通りが非常に良く、セラピーの効果を受け取りやすかった（お体に不調がおありの方やエネルギーの通りが悪い方は、同じように働きかけても時間がかかります）。

＊大きな喪失体験の直後に、ベストなタイミングでセラピーをお受けになられた（時間の経過とともに問題は改善されにくくなります）。

＊大きな感情ストレスに圧倒されながらも、ご自分と向き合われた（ご自分の感情から目をそむけると改善しません）。

4月に2人の彼との別れがあり、ハートブレイク。
5月にセラピーを受けられ、内向的な性格が改善。行動範囲が大幅に広がる。
6月から婚活を始められ、たくさんの方々とお見合いをされました。

彼女は40代ですが、婚活市場ではあちこちからひっぱりだこのモテモテ状態。「どの人にしたら良いか？」という新たな悩みが出てきて、それに対するセラピーが必要になりました。

彼女のことを気に入ってくださる男性は多かったのですが、その中でも最終的に3人に絞られました。

1人目は大金持ちで、ものすごく誠実な方。その方のエピソードを伺っていると、なんだかこちらまで「世の中っていいものだな」と思えるような優しさと包容力をお持ちです。

2人目の方は夢を追いかけていらっしゃる年下の方。彼女の心はググッと傾いていきます。

3人目の方は一緒にいて一番楽しかったそうで、おとなしい彼女がカラオケでたくさん歌を歌って盛り上がったそうです。

結局、7月末に出会われたこの3人目の方にお決めになりました。
実は、一番楽しいこの方は「ヨーロッパの外資系企業の社長」だったのです。9月には結婚を前提にお相手と一緒に住み始め、翌年ご入籍されました。

ご主人になられた方はまた背の高い有能なビジネスマン。本当に何度も同じような方を引き寄せるのですね。

ご結婚後にいただいたご報告で、ご主人は「僕のために綺麗でいてほしいから」と言って、彼女はまったく興味がないのにエステティックサロンに通わされているとのこと。

なるほど。クライアントさんの幸せ報告は本当にうれしいですね。

そして彼女は、趣味に仕事にと日々を貪欲に楽しまれ、**「将来は仕事や人生をこのような方向で進めていきたい」**という人生の方向性も見えたそうです。

セラピーでは表面的な問題のみならず、根本原因を取り除いていきますので、恋愛や結婚だけでなく、仕事や人生の道すじもクリアになり、人生全体が流れに乗るようになります。ただ、そこまでやるかどうかはまったくもってその人次第です。

「愛されたい」という思いは誰の心の中にもあるものです。でもなかなか思いが叶わないときは、意識の深い部分……そう、「潜在意識」のレベルでは、愛を遠ざけるプログラムが密かに動いているのかもしれません。潜在意識という意識の深い部分にはすべての答えがつまっており、あなたがそのドアを開けてくれるのを待っています。

私は**「幸せは準備が9割」**だと思っています。私のクライアントさんたちが幸せをつかんだのは、やはりご自分の内面と向き合われ、ご自分で取りに行かれた結果です。

本当はもっと幸せになりたい。自分だけを見てほしい。あなたのそんな願いは必ず叶います。もし、あなたが潜在意識のドアを開けたなら。

2回のセッションでご入籍！

「ありのままの自分」って、結構出回っている言葉なんじゃないかなあと思います。

でも、「ありのまま」が間違って使われているような気がするときがあります。

「ありのまま」って決して「そのまま」ではありません。

そのままとありのままの違いは、そのままというのは、例えば、しんどい人はしんどいままの状態。ありのままというのは、不安や恐れがなく、本来の姿に戻って楽な状態だと思うんです。

せっかく彼が現れても、彼からの愛や親切がなかなか受け取れないことってありませんか？　**そんなときあなたは、ありのままの自分に戻る必要があるのです。**

不安や恐れなどの心のブロックがあると自分を信じられません。自分の判断が信じられないのです。彼を選んだ自分も信じられないし、彼との幸せな未来も信じられない。それって、本当につらいですよね。

でも大丈夫！　心のブロックをはずしてありのままの自分に戻ったら、**自分や自分の未来も信じられて、彼からの愛も受け取れるんです。**

ここでご紹介するクライアントさん（40代）は、彼からの愛をなかなか受け取れませんでした。そして、彼からの思いも親切も受け取れませんでした。でも、セッションでブロックをはずして、ありのままの自分に戻り、自分と、そして彼との未来を信じられるようになられました。

以下は、ありのままに戻った彼女が、セッション後、彼に送ったメッセージです。とても素敵なので、ご紹介させてくださいね。

「今までこんな（良くない）状態におちいったときに、どうやって回復してきたか考えてみました。そうしたら1つわかったのが、私がどんなに自分のことを信じられなくなっても、まわりの人たちが私のことを信じてくれたことが大きかったということに思いいたりました。

私がどんな状態であろうと『大丈夫』と、まわりの人たちが信じてくれたおかげで、私は自分を取り戻していったことを思い出しました。

それで今、思っていることがあります。私はこれから自分を信じることにチャレンジします。

今までは、まわりの人から支えてもらうばかりで、自分で自分のことを信じる部分が弱かったと思います。だから、これからは自分が自分のことを一番信じてあげられるようにチャレンジしたいと思います。それで、○○さんも一緒に私の未来に1票投じてもらえないでしょうか？　そうしてもらえると一番私の支えになり、ありがたいです」

セッションに来られたときは、ご自分のことも、未来のことも、まったく信じられなかったのに、セッション後は自信を取り戻され、自分から「チャレンジしたい！」とおっしゃるようになりました。そして彼にも**「私の未来に1票投じてほしい」**と自分から言えるようになりました。とっても素敵です！

ありのままの自分に戻ると、愛は体から自然にあふれ出ます。

止めようとしても、自然にあふれてくるのです。自分から愛があふれてくると、自然と彼からの愛も受け取れるようになりますよ。

彼女はセッションで内面がとても成長され、だんだんと彼からの愛を受け入れる準備ができてきたのでした。彼女は彼と出会ってから真剣なお付き合いが始まるまでの期間をムダにしなかったことが、彼から将来の結婚相手として見てもらえた要因なのではないかと思います。

そのポイントは3つです。1つ目は、セッション前は、なかなか自分の言いたいことが言えなくて、悩んでばかりだった自分をセラピーで変える努力をされたこと。これにより、彼に自分の気持ちをちゃんと伝えられるようになられました。

2つ目は、彼から正式なお付き合いを申し出ていただくまで、一線を越えないようにしたこと。お互いに待つことにより、時間が愛を育んでいったようです。

そして真剣な交際に入る前に、2人で相談して1つ1つ解決していこうと話し合われたそうです。これにより、お互いへの理解が深まったのですね。

3つ目は、交際が始まる前に彼女が彼との結婚を視野に入れて行動したこと。

以下は、彼とのお付き合いが始まる前に彼女からいただいたメッセージです。

「具体的には、彼が良い結論を出してくれるのを信じながら、妻や母になることに向けて、料理や体力作りなどの準備を始めていこうと考えています」

この時点では、お2人の間には暗雲たちこめる感じだったのですが、彼女の中には、早くも彼の妻になる覚悟が見えますね。

自分自身がポジティブな未来に対してコミットすると、強力にポジティブな現実を引き寄せます。

本気で幸せな恋愛や結婚を実現したいと思うのなら、あせらず、1つ1つ実行していくことが、一見回り道のように見えても、実は一番の近道ですね。

そして彼女に愛の天使が舞い降りて、2回のセッションでご入籍されました。私は長年セラピーの仕事をしておりますが、2回は初めてです。いったい私のオフィスはどうなっているのでしょうか？　よくわかりません。ともかく彼との愛が実って本当に良かったですね！　ご遠方から飛行機で通われた甲斐がありました。

はじめに彼女を見て、飛行機に乗ってセラピーに通うという選択自体が本気だなと思いました。オンラインでもお受けいただけるのに。そして時間が長いコースを選んで、心理療法の時間を長く取っていたため、早くに良い結果が出ました。それが大きかったようです。

そして、今後も良い状態を安定させるため、引き続き通われるとのこと。人生を変えるのが自分自身であることを、きっちり証明してくださいました。

彼女は傷ついた人生を送ってきました。それが愛情をブロックし、幸せな結婚をブロックしていました。でも、彼女は未来をブロックのせいにしなかった。私のセッションでブロックをはずして、前に進むことを選ばれました。ブロックをはずすと、未来はおのずと変わるのです。

大切なのは、ブロックをはずして本来の自分に戻ること。そうすると、彼からの愛を受け取れる自分になり、自分にピッタリの人がおのずと現れますよ。

魂の伴侶たち

恋人たちは深いレベルでつながっています。それは「魂レベルで」と言ってもいいのではないでしょうか？

「クリスタル」と言ったら、あまりなじみがないかもしれませんが、「パワーストーン」と言ったら、みなさんどこかで耳にされたことはあるのではないでしょうか？

よく知られているクリスタルに「ローズクォーツ」がありますね。ハートを癒し、愛を引き寄せるクリスタルとして人気があります。

このクリスタルについて学びを深めるために、私はハワイのカウアイ島まで足を運びました。

ハワイ自体が「地球のハートチャクラ」（ハートを癒すエネルギーセンター）と呼ばれているのですが、カウアイ島は観光地化されたオアフ島とは違い、自然が多く残り、緑豊かで、別名「ガーデンアイランド」とも呼ばれ、映画「ジュラシック・パーク」の舞台にもなりました。

お店がとても少ないので、夜になるとシーンとして真っ暗になります。カウアイ島の夜にはスピリットが降りてくるとも言われています。非常にスピリチュアルな場所なのです。

アメリカから来たヒーラーのEさんは、婚約者と一緒にバカンスもかねての参加でした。このとき、Eさんの彼があまり体調がすぐれないとのことで、別のコテージにステイしていた私は、友人ヒーラーとともに、彼に遠隔でクリスタルのエネルギーを送ることにしました。ヒーリングは事前に彼に許可を取ってから行われました。

次の朝、彼に「どうだった？」とたずねてみると、彼は微笑みながら「石を乗っけられていたような気がするよ」と答えてくれました。

ランチのとき、彼女が私に「チエコちゃん、私、夢を見たの」と言いました。「え、どんな夢？」と私が聞くと、「彼がね、小さなダイヤのついた指輪をくれたの」と彼女は言いました。

彼女はすでに大粒のダイヤの婚約指輪をされていたので、「もう素敵なのしてるじゃない」と言ったら、「『これがホントの気持ちだよ』って彼が言ってくれたの」と彼女は言いました。「今までは『これくらいしてあげなきゃ』って無理していたって」。

どうやら、Ｅさんの彼がヒーリングで癒され、無理に頑張るエネルギーが解放され、一夜にして自然体になったようです。

そしてヒーラーである彼女は、眠っているあいだに彼の変化を感じ取って、それが夢となって現れていたようです。

気持ちの良いオープンカフェでちょうどその話をしていると、真っ白な体の首元に濃いブルーのレース飾りのような模様のある2羽の鳥が、私と彼女の足元に近づいてきました。

私は思わず「可愛い！」と喜びました。この鳥のことを調べたらハワイ固有の鳩の一種とのことでした。

この2羽は恋人たちだったのでしょうか？　本当にロマンチックなお話、ロマンチックな出来事でした。

私たちが出会う人はみな、深いレベルでつながっています。潜在意識をクリアにして自分の本質、魂レベルにアクセスすると、本当に魂が求める人、魂が求める生き方と出会われることでしょう。

おわりに

私がセラピストとして開業する前、まだ催眠療法を学んでいたときのことです。当時はまだセラピーを婚活の方に限定する前でしたので、「いったいどんな方がクライアントさんとして来られるのだろう？　スピリチュアルや恋愛にご関心のあるＯＬさんたちかしら？」などと、ぼんやり思っていたものです。

そして実際に開業してみると、もちろんＯＬさんもいらっしゃったのですが、結構な割合で主婦の方が多かったので驚いたのを覚えています。

裕福なお家の奥様でご自分の生きがいや自己成長を求めてセラピーやヒーリングを学びたい方にまじって、離婚寸前で飛び込んで来られる方もいらっしゃいました。

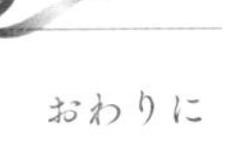

新米セラピストの私にとって初めてのクライアントさんは、ご主人と離婚の話し合いをされて、離婚前に一度セラピーを受けてみるとおっしゃり、私のオフィスのドアをたたかれた方でした。生まれて初めてのクライアントさんが離婚寸前の一大事だったのです。彼女の心の中にはご主人以外の男性がいました。

私は「王道を行くしかない」と思い、それまで学んだ通りにセラピーで彼女の潜在意識の中の記憶をたどっていきました。そうすると傷ついたインナーチャイルドがたくさん出てきました。ただただご家族からの愛をもっと感じたかった。そんな小さな子供の小さな思いが、大人になってからの結婚生活で、ご主人と向き合えなくなるブロックとなっていたのです。

初回に来られたときは話しながら涙を流されていた彼女が、2回目のご来訪では服装までパッと明るくなられ、こぼれるような笑顔を見せられていたのが印象的でした。そしてすっかり癒された彼女は無事ご家庭に戻られました。

私も催眠療法を学ぶまでは信じられなかったような、一見「そんなことが!?」と思うようなことが、大人になってからのさまざまな問題の根本原因となっていることがあります。それはちょうど、靴の中に小石が入っているようなものではないでしょうか?

潜在意識のブロックをしっかりとはずすことは、その場しのぎの解決法ではなく、先々まで続く幸せとも関係しています。自分自身が愛情のブロックをはずすことで、ネガティブなパターンの連鎖を断ち、ご家族にまで幸せが広がっていくのです。

私の初期のクライアントさんのお子様方はもう中学生。みなさま勉強熱心で賢く育たれただけでなく、学校でリーダーシップを発揮されたり、中学生にして「将来に対してこうしていこう!」と人生全体を見て行動されていらっしゃいます。そして能力面だけでなく、まわりの子の面倒をよく見る心の優しい、思いやりのある子に育っていらっしゃいます。

また、お子様方だけでなくクライアントさんのご主人も、お仕事がどんどん発展していかれたりと、女性が心のブロックを片づけると、ご家族のみなさまにまでこのような良い影響がおよぶのです。それは潜在意識下では、みんなつながっているからなんですね。

自分自身がそれほどまでにまわりにパワフルに影響を与える存在であることに気づいている方が、いったいどれくらいいらっしゃるでしょうか？　私はぜひ気づいてほしいのです。人はただ存在しているだけで価値があるということを。

自助（じじょ）と**自然**（じねん）という言葉があります。**自助**とは自分の力で成しとげること、そして**自然**とは独りでにそうなることです。こと、人との関係性においては自分の努力だけでは難しい。そして、自然に任せるだけでも難しい。

でも両方が絶妙な配分で融合したら……努力や計算では起こりえなかった出来事が本当に起こります。

人は死ぬまで進化成長することができます。本来の自分に戻り、自分を発揮すること、自分らしく生きることが、本当に必要な出会いを引き寄せるのではないでしょうか？

新しい出会いは、いつもあなたの人生にとって新しい視点をもたらし、今までとは違った新たな側面を見せてくれるもの。あなたもこの本でブロックをはずし、自分自身の本当の力を発揮して、素敵なパートナーとの出会いに潜在意識を役立ててください。

潜在意識は宇宙とつながり、いつもあなたを護り、導いてくれますよ。

love & sparkle by Chieko

桐山千絵子（きりやま・ちえこ）

米国留学後、宝石業界、美術業界への勤務を経て現職。米国 N.Y. にて世界的ベストセラーである「前世療法」の著者で同療法の世界的権威であり、米国屈指の精神科医であるブライアン・ワイス博士から直接師事。

催眠療法士、スピリチュアルセラピストとして活動。女性ならではの細やかなセラピーと 30,000 件以上のセッション経験を求めて、全国各地はもとより、海外からのクライアントも多数受講。催眠療法とスピリチュアルを絶妙なバランスで融合した愛の集中治療で、幸せになりたい人を幸せな人に変える潜在意識のスペシャリスト。クライアントは最短２回のセッションでご成婚。潜在意識深くに働きかけ、愛のブロックを取りのぞき、幸せな結婚をエレガントに叶えます。

■公式ブログ（アメブロ）
https://ameblo.jp/regalo-saimin/

装丁／飯田裕子
装画／アサイレイコ
本文イラスト／小瀧桂加・高田裕
制作／システムタンク（白石知美・安田浩也）
校正協力／新名哲明・伊能朋子
編集／大江奈保子・阿部由紀子

マリアージュセラピー

初版1刷発行 ● 2021年8月20日

著者

桐山 千絵子（きりやま ちえこ）

発行者

小田 実紀

発行所

株式会社Clover出版

〒101-0051 東京都千代田区神田神保町3丁目27番地8 三輪ビル5階
Tel.03(6910)0605 Fax.03(6910)0606 https://cloverpub.jp

印刷所

日経印刷株式会社

ISBN978-4-86734-031-8 C0095